DUSHAN'S CODE

DUSHAN'S CODE

The XIV Century Code
of Serbian Tsar Stephan Dushan

The Bistritza Transcript
Introduction and Translation
by
Dr Đurica Krstić

CIP – Каталогизација у публикацији
Народна библиотека Србије, Београд

34 (497.11) (091)

DUSHAN's Code : the XIV Century Code of Serbian Tsar,
Stephan Dushan : the Bistritza Transcript / introduction and
Translation by Đurica Krstić. – [2. ed.]. – Beograd : Vajat, 1989.
– 89 str. ; 20 cm

Публикација садржи Бистрички препис и упор. текст на
српхрв. и енг. језику.

ISBN 86-7039-029-9

949.711"13"
091=861

ПК:а. Законик цара Душана
б. Законик цара Душана – Рукописи

First Edition 1981 by SANU, Beograd
Second Edition 1989 by Publishing House Vajat, Beograd
Manufactured in Yugoslavia

ISBN 86-7039-029-9

AN INTRODUCTION
TO THE CODE OF TSAR STEPHAN DUSHAN

The year of 1989 marks the 640th anniversary of the Code of Serbian Tsar Stephan Dushan (1308–1355) – king of Serbs (1331–1345) and emperor of Serbs and Greeks (1345–1355). This Code is the most important source of Serbian legal, State and cultural history in the Middle Ages. Its original has never been found, but the subsequent transcripts from 14th until 18th centuries served as a basis of modern research into its origins, sources, contents and implications for the history of peoples of Central Balkans.

Emperor Stephan Dushan was probably the most powerful ruler in Europe of his times, with real prospects of taking Constantinople and inheriting thus the declining Byzantine Empire. This position involved also his imperial duty to introduce peace and order in ethnically and religiously different countries under his rule. This had to be achieved by legal unification on the ground of the grand model of Byzantine law which has thus been definitely introduced in the very foundations of Serbian medieval law.

The middle of the 14th century was characterized by two fateful events – the pest or „black death" in Europe in 1348, and the first Turkish attacks in Europe. This latter historical event prompted Dushan to alert the West on the manace and to attempt to form and adequate alliance, but his efforts were not fruitful since the great danger was never properly understood by the West.

Within such historical conditions and after making necessary preparations the details of which are not directly known to our historiography, the enactment of the Code took place on May 21st, 1349 at the State Assembly in the town of Skoplje (the present-day capital city of the Republic of Macedonia). But regardless of the significance of its own, the Code was not an isolated legal act, since it was incorporated in the complex system of Byzantine legal sources, which were translated into Serbian-Slavic language, but also modified, both in terms of choice and systematization, according to the needs of Serbian State and Serbian (Orthodox) Church. This relates primarily to the collection of rules – the Nomocanon of Saint Sava, quoted in literature as the Law of the Holy Ancestors, then to the Code of Justinian, and to the Syntagm of Mathew Vlastar, a collection of Byzantine laws.

Abundant literature which is the result of almost two centuries of studies of Dushan's Code in Yugoslav and foreign countries justifies the following conclusion: the legislation of Emperor Dushan is a condensed expression of the level of development of State and legal system of the fourteen century Serbia and of the need to replace its legal customs (i.e. unwritten law) by the general and more developed written law, which would bring these customs into accord with Byzantine law – serving as a model. But by no means was this a simple reception of a foreign law system.

The Code itself is a complementary legislative act. It has in fact completed and refined the existing system of law and of legal sources and provided a unified basis of regulation for the entire State. This in itself is a genuine contribution to State organization and to legal and general culture – and an act of unification which deserves every attention, the more so since similar attempts in the rest of Europe were not successful. This is illustrated by the failure of Charles IV whose *Majestas Karolina* codification was met by decisive resistance of Czech nobility (1349).

The contents of the Code of Emperor Dushan is in itself a firm indication of the level of legal and general culture of Serbian medieval State. It also reflects the economic conditions, the developed relations of the Empire and other aspects of life. It is, in a way, a written proof of the rise of a State which, unfortunately, did not continue due to sudden death of Tsar Dushan in 1355.

The articles of Dushan's Code contain a small number of provisions relating to the Church and to related matters. Also small in number are those relating to civil law matters, while those pertaining to criminal and State laws, and to procedural law by far outnumber the former provisions. An entirety of its own is the first, and basic, part – which was enacted in 1349, containing 135 articles (130 in some versions) which are more or less systematically ordered. Thus, this first group of articles deals with Church matters in order to provide it with the purity of faith and corresponding social power. This includes judicial rights of the Church, general duty of all people to comply with religious wedding ceremony, as well as measures and sanctions against the Latin Church and other heresies in the framework of the Orthodox Church itself. Provisions dealing with the organization of Church and particularly of monasteries reaffirm the principle of somewhat neglected former Saint Sava legislation in these entities. According to the Code, the Church is vested with great social and economic prerogatives and immunities but, at the same time, its charitable role is stressed in corresponding articles of the Code. There is almost always a visible attempt to balance rights and duties, especially of those institutions which are in power – a principle not always present in modern legislations.

Rights and obligations of feudal aristocracy as well as peasants are regulated by quite a number of articles forming thus the contents of the second large section of the Code. Feudal State order and socio-economic relations have found in this section their highest legal articulation. Each and every class of society is defined in terms of rights, privileges and duties in the spheres of status, economy, criminal matters and procedure. These provisions may therefore be qualified as constitutional by their importance. Their spirit reflects also the idea of legal continuity in the incorporated Greek and other regions, which meant that all rights and privileges acquired previously from Byzantine emperors by towns and regions remained fully in force under the new ruler, too.

The institute of hereditament (*bashtina*) is the central one in this group of articles, together with another feudal right – *pronyia* (feudal estate or revenue enjoyed for life against a duty to serve in the Army at one's own expense) whose origins date back into 13th century, i.e. before King Milutin.

Feudal differences are rather conspicuous in the Code, which is a formal break from the Greek model (i.e. Syntagm) in which traditional although fictitious equality between individuals was expressed in the spirit of Roman law. On the contrary, Dushan's Code confirms openly in legal terms the real inequality between the classes and layers of population. This is particularly visible in criminal law and procedure articles, but in other matters, too. On the other hand, the privileged status of nobility did not leave space for their arbitrariness since, in addition to considerable duties

8

and burdens towards the State, namely the Emperor, they had to comply rather strictly to decisions of courts and to the provisions of law.

The second social layer – *meropsee,* namely dependent serfs – peasants were, at least formally, protected against violations and injustices by their masters. But in concordance with the system of society they were strictly bound to the estate, the land they worked at. Penalties for their disobedience and rebellion were thus extremely brutal – which is but a common characteristic of the times.

As mentioned, there are not many civil law provisions in the Code since principal ones are within the Syntagm, which contains all important institutes of Byzantine law in this wide field. This applies also to older sources, such as Saint Sava Nomocanon or Town Law.

Procedural matters are regulated by means of many provisions which form the third group of articles, dealing with rural disputes over possession of land, estate boundaries, grazing rights etc. Following these are the criminal law provisions which brought about a thorough revision and replacement of former customary law rules in this significant sphere. In such a way Dushan's Code establishes for the entire Serbian criminal law the principle of formal, namely statutory ground for unlawfulness. In other words, it reaffirms the principle of legality. Moreover, an offence is treated not only as a violation of State law, but also of morals.

Greater novelties were introduced, however, in the system of penalties, since the Code meant definite and creative reception of the Byzantine system of public law punishment, bringing thus an end to the former 13th century Serbian law which treated the essence of criminal offence as a damage of a material or spiritual value which should be compensated only in terms of property – amercement or forfeit. These public-law kind of punishments were very severe – which again was the characteristic of the epoch. These included capital punishment by burning at the stake or hanging, mutilation, stigmatizing, chastisement, dungeon, proscription, etc. There remained, however, some specificities as a result of a compromise between the Byzantine law and Serbian customary law, such as the fine for murder or serious harm to body called *vrazhda.* Severity of Byzantine criminal law is here attenuated not only by the right of asylum in the church, Emperor's or Patriarch's palace – which did exist in Byzantine Empire, too, but also by the possibility of granting Emperor's pardon by direct implementation of Byzantine provisions in the Syntagm.

Separate group is made out of articles of the 1349 Dushan's Code which regulate social and legal relations between towns, their citizens and, more particularly, tradesmen. They deal with various important privileges of Saxon communities and Greek townships, whereby commercial profession is protected, while the jurisdiction of Emperor's law is extended also over town area and its population.

The Amendment to the Code effected in 1354 concerns its second part, namely articles 136 to 201 (this ennumeration varies), is a result of dynamic development of society taking place in only a few years after 1349. Thus, in the field of the law of procedure the provisions were restored of the times of King Milutin, which in fact made possible the implementation of Serbian customary law. Severe punishments were also introduced against brigandage, which was an evil not only in Dushan's State but in the entire fourteen century Europe, too. In addition, many relations were regulated by means of these new provisions which reaffirmed the principle of legality. However, although many institutes left space for applying unwritten rules – as is the case with jury – the very spirit of the entire legislation diminished the significance of custom as a source of law. This was also a trend followed in the rest of Europe, too – with local variations.

Moreover, the principle was accepted that the law was above the Tsar, since in case of conflict between an Emperor's decision (i.e. *prostagm*) and a provision in the Code, the Emperor's decision was not valid at all, and had no legal effect. Priority is always at the side of written law, namely the Code. The rule of law is also confirmed in the provision according to which every *meropah* (feudal serf) is entitled to sue not only his own master (which in itself is already an achievement in the field of human rights), but also the Emperor, the Empress, the Church, or a member of the gentry – or anyone – as the wording of Article 139 goes on.

In implementing the law every judge, including the Emperor as a supreme judge, is bound to follow not only the existing legislation but also to found his decision on justice, meaning to apply the rules of law in an equal and non-discriminatory manner to all people – efficiently and promptly – which is even as a formulation in a legal text already an achievement for a fourteen century State.

Altogether, Dushan's Code may be undoubtedly qualified as the most significant historical monument of medieval Serbian law. It has been studied and analyzed widely and thoroughly by Serbian and Yugoslav scholars and by the foreign ones too, mostly Russian, German, Chech, Polish and Greek for almost two centuries. The history of law treats it, and justly so, as a genuine Constitution of medieval Serbian State and a legal picture of Serbian world in the Balkans at the time of its highest achievements. Among other important features of this valuable piece of European medieval legislation, and besides many institutes which deserve every attention of all those studying deeper roots of Serbian statehood and legal theories, ideas and conceptions in order to obtain the history of culture and of the spirit – the Code of Tsar Dushan is the best proof of genuine reception of the Byzantine law and Byzantine State-legal philosophy and ideology in Serbia. Serbian Emperor Stephan Dushan has become a law-maker just as the case was with Justinian, Lion VI the Wise, and Basil I – following in his way the spirit and tradition of the Romano-Byzantine law. This reception, however – as we tried to point out – was not a superficial or artificial one: a Byzantine legal provision enacted formerly by the Byzantine Emperor was transformed in Serbian legal provision only after certain adapting or supplementing. Serbian customary law, as well as the law contained in charters and international agreements of Serbian rulers has been thus incorporated in specific ways into Dushan's Code whenever this had been more suitable to the specific relations of the feudal society in Serbia. The provisions relating to commerce and trade, for instance, find their origin in the Serbian-Dubrovnik agreements of the thirteenth and fourteenth century.

The sources of the Code of Stephan Dushan therefore are not only Byzantine, although the very ideology of legal order is Byzantine. The codification effected by Dushan in the above way had to unify the law of all countries of the wide region of his Empire, but the necessary reception was creative and qualified one. There is no automatic reception, although it has taken place before Dushan in Saint Sava times. By the Code the Byzantine system was accepted of creation and control of legal norms – and this should be treated as the highest achievement in the proces of specific Byzantinization of the medieval Serbian State.

A thorough analysis of Dushan's Code makes possible many conclusions as to its general caharacteristics. First of all, the very fact of its existence shows the high level of culture of Serbian people in fourteenth century. Unfortunately, this cultural development had not its happy continuation in history. Furthermore, in the time of its enactment Dushan's Code was the most humane monument of its kind in the entire world – naturally in terms of its epoch and within the existing moral and other norms, and social order in general. Considerable protection was extended, namely, to underprivileged layers of population, while the privileged ones were restricted – which applied to the Church, too. Law and justice were the main principles in court, and no exception in some cases was made even regarding the autocrat and his Court. Certain protection was also extended to women and the poor.

The Code is also a monument of Serbian language and a source of study of social and economic relations of the time. In course of centuries which followed, mostly under Turkish occupation, the transcripts of the Code served sometimes as practical legal source in many a region of South Slav countries, and even in the surrounding countries, such as Rumania. Some provisions of the Code entered the subsequent customary law of the people which helped in preserving national culture and spirit during dark centuries of oppression.

These qualities of Dushan's Code were noticed also by foreign scholars, mostly historians, such as German writer Engel J. Chr. according to vhom "Hungary and other countries can not praise themselves with such an early code". This study is the first one written about Dushan's Code in the world, and the same author has translated it into German language, too, in 1801. Another German author – Rues Fr. – writes that "noblest and gentlest spirit is visible in this medieval monument" (1816), after which it was not any more easy to write about Serbs (as the case was with many German and Hungarian authors) as eternal and ruthless warriors and wanderers. A French author A. Boué, who also translated Dushan's Code in his language, points at the fact that a State which had such a legal monument would have a splendid development – were it not for the Turkish slavery (1840). His book was translated into German (1889) and his comments of the Code are full of ethical and political positive elements. Great interest for Serbian medieval history and Dushan's Code within it in the middle of nineteenth century was revived also in the beginning of twentieth century, when many doctoral dissertations have been published on the Code. Among many Yugoslav authors about Dushan's Code, one should mention here only a few: S. Novaković, V. Bogišić, Šafarik, Solovjev, Taranovski, Kostrenčić, D. Bogdanović.

Foreign publications about Dushan's Code include also the one containing a translation into English done by Malcolm Burr in The Slavonic and East Europe Review, in 1949 and 1950.

The present translation into English in this book, however, is the first one made by a Yugoslav historian of law (first published by the Serbian Academy of Sciences and Arts in Belgrade in 1981).

Đurica Krstić

БИСТРИЧКИ ПРЕПИС

Законь благовѣрнаго цара Стефана. вь
лѣто .҂ѕѿнѕ индиктиѡнь, в҃. вь праздникь вьз-
несенїа господнꙗ мѣсеца, маиꙗ к҃а. дьнь.

5   Си же законь поставлꙗнемо, ѡть православнаго сьбора нашего. сь
прѣѡсвещеннимь, патрїархѡмь, кирь Іѡаникинемь. и в'семи, архиереи.
и цръковники малими и великими. и мною благовѣрнимь царемь Сте-
фанѡмь. и всеми властели царьства ми. | малими же и великими.

законѡмь же симь сложенїа бише.

Ѡ христїаньствѣ

10   Наипрьво за христїаньство. симзи ѡбразомь да се ѡчисти христї-
ан'ство.

Властеле и прочи людие. да се не жене, не благословивше се оу своиего
архнереꙗ. или оу тѣхзи да се благослове. кои соу поставили изьбравше
доуховникы архїереие.

15   И ни едина сватьдба. да се не оучини безь вѣнчанїа. ако ли се оучини
без благословенїа и оупрошенїа цръкве. таковыи да се разлоучеть.

Ѡ доуховнѡмь дльгоу

И за доуховнии дльгь, всакь чловѣкь да има повиновенїе. и по-
слоушанїе кь своиемоу. ар'хїерею. ако ли се ктѡ ѡбрѣте сьгрѣшивь |
20   цръквы, или прѣстоупивь что любо, ѡт сниега закона волꙗмь и не-
хотѣннꙗмь да се повине и исправы цръкве. ако ли прѣчюие и оудрьжи
се ѡт цръкве, и не вьсхощеть исправити повѣленїа цръкви, потѡмь
да се ѡтлоучи ѡт цръкве.

---

³ к҃а. дьнь писар исписао на маргини текста, у висини последьег реда наслова.
⁶ и великими написано измеѓу редова, руком писара, после речи малими.

И светителие, да не проклинаю христианъ за съгрѣшеніе доуховно. да пошлие дващи, или трищи къ иномѫзи да га ѡбличи. и ако не чоүе. и не оусхоке исправити заповедїю доуховною потомь да се ѿлѫчи.

И за ꙛресь латиньскоу. що се соу ѡбратили христиане въ азимь- 5 ство, да се възврате | ѿпеть въ христиаство (sic), ако ли се ктѡ ѡбрѣте прѣчоувь, и не възвратив се въ христианьство. да се каже, како пише ꙛ законнникоу светыхъ ѿцъ.

И да постави цръквы великаа протопопе по всѣхъ тръговѣхъ, да възврате христиане ѿ ереси латиньскіе, кои се соу ѡбратили въ вѣрꙋ 10 латинскꙋ. и да имь дадꙋ заповедь доуховнꙋ. и да се врати всакы въ христианство.

И попъ латински, ако се наиде ѡбративь христианина въ вѣрꙋ ла- тинскꙋ, да се каже по законꙋ светих ѿцъ.

И ако се наиде полꙋвѣрць оузъмь христианкоу. ако ꙋзлюби да се 15 кръсти | ꙋ христианьство, ако ли се не кръсти да мꙋ се ꙋзмѣ жена и детца. и да имь даа дѣлъ ѿ кꙋкие. а ѡнь да се ѿжене.

И кто се ѡбрѣте еретигъ живе оу христианѣхъ. да се жеже по ѡбразоу. и да се прожене. кто ли га име таити. и тъзи да се жеже.

Ѡ д о у х о в н и ц ѣ х

20 И светителіе да поставе доуховнике по всѣхъ иноріах ихъ. и по гра- довѣхъ. и по селѣхъ, и тизи доуховници да соу иже соу примили бла- гословеніе на доуховничьство. вѣзати и рѣшити ѿ своихъ имь архи- ереи. и да ихъ слꙋша в'сакы по законꙋ цръковнꙋмъ, а ѡнизи доуховници коихъ нѣсоу поставили доуховнике да се ижденꙋ. да ихъ ведѣвса цръква | 25 по законоу.

Ѡ с ꙋ д ѣ

И доуховномꙋ дльгꙋ козмици да не соуде. кто ли се наиде ѿ коз- микъ соудивь цръковномꙋ дльгоу да плати ,т҃. пер'пеⷬ. тъкмо цръквѣ да соуди.

30 ## Ѡ е п и с к о п ѣ х ь

И и митрѡпѡлитие и епископіе и игоумени, по митꙋ да се не по- ставе. и ѿ сѣда кто постави по митꙋ. или митрѡпѡлита или епископа,

---

5 христіаство хаплографија, треба христіаньство.
7 законнникоу ум. законникоу.
31 И и дитографија, треба само И.

или игоумена. да ѥсть проклеть. и анадема да боудеть и ако се наиде кон любо по митоу оуставь. да изврьжета се wба wт сана. и поставивьіи, и поставлѥннїи.

Ѿ изгмѣнѣхь

5 Игоумѣни да се не изсталаю (sic) без дела цоькве.

Игзмени по мwнастирѣхь, да се ставе добри чловѣцы | кон те стожити домь божїи.

Игоумени да живоу пꙋ (sic) киновиꙗхь по законꙋ зговараѥ се сь староци.

10 И на тисоуцꙋ коукьь, да се храни оу мwнастирихь. н̅. калꙋгерьь.

Ѿ калꙋгерехь

И калꙋгиерїе, и калꙋгиерице. коѥ се постризаю. тере живꙋ оу своихь коукꙗхь. да се ижденꙋ и да живоу по мwнастирехь.

И калꙋгиерїе кон се соу постригли топици из метохїе, тези цоькве. да не 15 живоу ꙋ тезы цоькве. нь да грѥдꙋ оу ине мнастире да им се да храна.

Калоугиерь кон своьже расе. да се дрьжи ꙋ тьмници. докле се wбрати оу послоушанїе wпеть | и да се педепса.

Ѿ ересницѣхь (sic) кон телеса мотвихь жегꙋть

20 И людїн, коѥ сь вльховьствwмь изимаю из гробовьь тере ихь сьжижоу. този селw да плати враждоу коѥ той оучини. и ако боуде попь на томзи дошьль да мꙋ се ꙋзмѣ попов'ство.

И кто прода христїанина оу иновѣрноу вѣроу да се wсече и езикь оурѥже.

25 ### Ѿ цоьковнихь людѣхь

Людїе властельсцини. кон сѣде по цоьковнинихь (sic) сѣлехь, и по катꙋнѣхь. да походи всакь. кь своѥмоу господарꙋ.

---

[5] не написано између редова, руком писара, после се | изсталаю ум. изставьлꙗю.

[8] пꙋ погр. ум. по.

[18] ересницѣхь ум. ресницѣхь.

[26] цоьковнїнихь дитографија, треба цоьковнїнхь.

Црькваль поноса да нѣсть. развѣ кьда греде камо царь. тьгази
да га дижоу.

И ако се наиде кои владальць црьковни оузьль митw да се
распе. |

5 Црьквами да wблада господинь царь. и патриархь. и лwгwеть.
а инь никтw.

Црьквы все що се wбрѣтаю по земли царьства ми, wсвободи. ца-
рьство ми. wт всѣхь работь малихь и великихь.

Црькви царьскїе да се не подлагаю под црьквы велїе.

10 И по всѣх црьквах да се хране 8бозы како кесть оуписано wт ктиторьь.
ктw ли ихь не 8зхрани wт митрополить или wт епископьь. или wт
игоуменѣ. да се wтл8чи wт сана.

И калwгиерїе да не жив8 извьнь ммонастира. (sic)

И wт селѣ да не оурвѣ ни едина власть калwгиера. или чловѣка
15 црьковна. и ктw потвори сие при животѣ, и по сьмрьти царь|сства
(sic) ми да нѣсть благословень. ако кесть що ктw ком8 кривь. да ище
соудwмь и правдwмь по законоу. ако ли га оурве без соуда. или ком8
забави. да плати самоседмо.

Ѡ попwвѣхь

20 И попове бащинници. да си имаю свою бащин'н8 землю. да с8 сво-
бодни. а ини попове, кои не имаю бащине. да им се дад8 .г. ниве зако-
ните, и да кесть капа поповска свободна. ако ли веке оузме, wт тези
земле. да работа црькваль по законоу.

Попь кои годе wт свога господара никамо да не wтходи. ако ли га
25 господарь не име хранити по законоу. да доге кь своиеv8 | ар'хиерею,
и архиереи да рече wноv8и властелиноу. да храни попа по закон8. да ако
wнзи гопосдарь (sic) не име чюти. да кесть попь своднь (sic) коуде м8
хотенние. ако ли б8де попь бащинникь. да га нѣсть воль wтгнати тькмо
да к свободнь.

---

[13] ммонастира дитографија, треба манастира.
[15] царьсства дитографија до које је дошло исписивањем надредног с испод
титле после већ написаног с у реду; треба царьства.
[27] гопосдарь погр. ум. господарь.
[27] своднь погр. ум. свободнь.

Ꙝ людѣх цръковнихь

Людїе цръковни, кои дръже цръковна села. и землю цръковне а прогнали сꙋ мерꙝпхе цръковне. или влахе ꙝнизи кои сꙋ разгнали люди. да се свежоу и да им се оузме землю и людие. и да ихь дръжи црьква. докле
5 скоупе люди кою сꙋ разьгнали. |

Ццьковни (sic) людие ꙝ всакои правдѣ, да се соуде прѣд своими, митрополити. и прѣд епископи, и игꙋмени. и коꙗ ста ꙝба чловѣка едне цръкве. да се соудита прѣд своимъ цръквꙑмь. ако ли ꙝт двею цръквьь боудета. в̃. чловѣка. коꙗ се прита. да имь сꙋде ꙝбѣ
10 цръкви.

И що соу села цръковна и людие цръковни. да не гредꙋ оу нерꙝпшине царьства ми. ни на сено ни на ꙝрание, ни на виноградь ни на еднꙋ работꙋ ни малꙋ ни великоу. ꙝт всѣхь работьь, исвободи царьство ми. тькмо да работаю цръкви. кто ли се наиде изгьнавь метохїю на нерꙝп'-
15 шинꙋ | и прѣкчоуе законь царьскыи. тьзи властникь да се распе и накаже.

И еше ꙝ игꙋмѣнѣх

И прѣдаде царьство ми, игоуменꙝмь цръквы. да ꙝбладаю всꙝмь кꙋкꙝмь. кобилами и конми. и ꙝвцами. и инѣмь всемь. ꙝ всѣмь да
20 сꙋ волни. що ю прилично по пꙋти и правдю. како пише хрисꙑволь свѣтїних ктитꙝрьь.

И да ꙋставе по цръквахь. законь киновїнскыи калꙝгꙖрꙝмь. и оу монастирѣхь. противоу како юсть кои мꙑнастирь.

И еꙁар'си, козмици да нѣсꙋ да ихь не посилаю митрополитїе по-
25 повѣхь. развѣ да посилаю митрополитїе. калꙝгера самодрꙋ|гꙑга поповѣхь. да исправи доуховно. и доходькь цръковни да ꙋзмѣ ꙝт поповьь. кои юсть ꙝт бащине.

Ꙝ хрисꙑволѣхь

И вси хрисꙑвоули, и простагме и що юсть комꙋ. оучинилꙑ царьство
30 ми. и що кю комꙋ оучинити. и тези бащине да соу тврьде. какꙝно и прьвнихь правовѣрнихь царь. да соу волни ними. или. под цръкьвь дати. или. за доушꙋ ꙝддати или продати комꙋ любо.

---

[7] Ццьковни погр. ум. Црьковни.

Ѡ ВЛАСТЕЛЕХЬ ОУМРЬШИХЬ

Кⱑи властелинь ꙗзьима детцоу. а или паꙁи. не оуꙁьима детцѹ.
тере ꙁмрⱑть. и по нⱑговⱑ сьмрьти бащина пѹста ѡстанⱑть. где се ѡбрⱑте
ѡт нⱑгова рѡда. до третнꙗго вратоучеда | тьꙁи да имать ⱑговоу ба-
5 щинѹ.

И бащине все да 'соу свободьне ѡт всехь работь, и поданькь ца-
рьства ми. разⱑⱑ да давають соꙗе, и воискѹ да воевають по ꙁакоиоу.

И да нⱑсть волнь господинь царь, или краль. или госпожда царица,
никомѹ ꙁꙁети бащине по силⱑ, ни коупити. ни ꙁаменити, разⱑⱑ ако си
10 кто самь люби.

И властелⱑ, и ини людиⱑ, кои имають црькви бащиннⱑ, оу своихь
бащинахь. да нⱑсть волнь господинь царь, и и (sic) патрїархь. ни инь
светитель. теꙁи црькви подложити под велию црьковь разⱑⱑ да си ⱑ
волнь бащинникь. да си постави свога калѹгꙗера и да га доведе, кь све-
15 тителю, да га благословⱑи | светитель оучениⱑ (sic) воудеть инорїи. и
да ѡблада светитель оу тоиꙁи црькви доуховнимь дⱑлѡмь.

И властелинь кои се нагⱑе подложивь свою црьковь, под дроугоу
црьковь. векⱑе томꙁи црьквом да не има ѡбласть.

И штроꙗе що соу ктѡ имаю, да ихь имаю ꙁ бащинѹ. и нихь дⱑт'цоу
20 оу бащиноу вⱑчноу. нь штрокь оу прикию да се не даⱑ никьда.

И ⱑще штроꙗе що си имаю властеле да им соу оу бащинѹ, тькмо
що кⱑе властелинь простити. или моу жена. или сынь ⱑго, тоꙁи да ⱑсть
свободно а ино нищо.

Ѡ ВЛАСТЕЛЕХЬ ꙀМРЬШИХЬ

Кьда оумре властелинь кⱑиь доврии. и ѡроужиⱑ да се даⱑ царѹ
25 а свита велиꙗ бисерна, и ꙁлати поꙗсь да има сынь ⱑго. и да моу царь
не ꙁꙁмⱑ. | ако ли не ꙁꙁима сына нь има дьщерь да ⱑсть темꙁи волна
дьщи. или продати или штдати свободно.

Ѡ ПСОСТИ

Властелинь кои ѡпсоуⱑ, и ѡсрамоти властеличикаа. да плати .р̄.
30 перьперь. и властеличикь ако ѡпсоуⱑ властелина. да плати .р̄. перьперь,
и да се биⱑ стапии.

---

8 господинь написано изнад реда, руком писара, после речи волнь.
12 и и дитографија, треба само једно и.
15 оучениⱑ погр. ум. оу чиⱑи.

И ако властелинь или властеличикь wпсоукє себра, да плати .р̃. перь-
перь. Яко ли себрь wпсоукє властелина, или властеличикіа. да плати .р̃.
перьперь. и да се wсмоуди.

ꙴ насилованїи

5 Аще кои властелинь оузме владикоу по силѣ. да мꙋ се wбѣ рꙋцѣ
wтсекоут. и носъ. оуреже. аще ли себрь оузме по силѣ владыкоу. да се
wбѣси. акіє ли своꙑ дроугоу оузме. | да мꙋ се wбѣ роукє wтсекоу и носъ
ꙋреже.

Аще ли владыка блоуд сьтвори сь своимь чловѣкꙋмь. да имь
10 се wбѣма роуцѣ wтсекоу и нꙑсь оуреже.

Властеле краишници, кꙑꙗ воиска wт тꙋда мине и плꙗни землю
цароевоу, тере прѣиде wпеть прѣз нихь землю. тизи властеле все да плате,
прѣз коихь прѣиде дрьжавоу.

И кто прѣда сына или брата оу дворь. и оупроси га царь, вѣровати
15 ли га кю. и рече. вѣрꙋи га колико мене. акіє кое зло ꙋчини да плати wнꙗзи
кои га ѥ прѣдалъ, ако ли тако име дворити. каконо дворе оу полате ца-
ревѣ. що сьгрѣши да плати самь.

ꙴ невѣрѣ

За невѣроу за всако сьгрѣшеніе брать за брата. | и wтьць за сына.
20 родимь за родима, кто сꙋ wтдѣлни wт wногози оу своихь кꙋкдахь. кꙑи
ꙗсть не сьгрѣшиль. тьзи да не плати ница, развѣ wнꙗзи кои ꙗсть сь-
грѣшиль. тꙑгова и кꙋкіа да плати.

Властелинь на вечери да се не позива развѣ да се позива прѣгіє wбѣда
с приставꙋмь. и не поіиде на wбѣдь да ꙗсть кривь. и прѣстои власте-
25 линоу. г̃. волꙑвѣ.

Кьдіи поіиде властелинь с воиске домомь, или кꙑи любо воиникь.
ако га ктw позовѣ на соудь. да прѣбоуде дома .г̃. неделіе потꙋмь да
греде на соудь.

Властеле велии. да се позиваю с книгꙋмь соудинꙋмь. а прочіи с
30 печатіꙋмь.

---

⁵ се изнад реда, руком писара, после мꙋ.

Ѿ З Л О Б Ѣ

Кои властелинь на прѣселици, комꙋ | пизмомь коѥ злѡ оучини. земли плѣнꙋмь. или коукѥ пожеже, или коѥ любо зло учини. тако да мꙋ се тази дрьжава оузме, а ина не дасть.

5   Кто ли оумре а има едно село ꙋ жꙋпе. или меѓоу жоупами. щѡ се злѡ ꙋчини томꙋзи селꙋ, пожегꙋмь или чимь любо ѡномꙋзи селоу всоу тꙋзи злобоу да плати школина.

Ѿ п р о н ї и

Пронїю да нѣсть волнь никто продати, ни коупити ктѡ не има
10 бащине. ѿ прониꙗр'ские землѥ. да нѣсть волнь ктѡ подложити под црьковь. ако ли подложи да нѣсть тврьдѡ.

Ѿ ц а р ы

Цара всакыи, да диже кьде камо греде, град всакыи до жоупе, и жꙋпа до града.

15   ### Ѿ к е п а л и ꙗ х ь

Кꙗпалїе що соу по градовѣхь, да ꙋзимаю | свои дꙋхѡдькь закѡнь, да имь се продава жита и вина и меса. за динарь що инꙋмꙋ за два. нь граѓꙗнинь този да мꙋ продава, а инь никтѡ.

Ѿ с и р о т а х ь

20 Сирота кꙋделница да ꙗсть свободна такожде ꙗко и попь.

Ѿ п р ѣ н ї и с о у д а

Братен'ци кои сꙋ заедно. оу едной коукии кьда ихь ктѡ позове на домꙋ. кои прїде ѿ нихь тьзи да ѿпира. ако ли га ѡбрѣте. на двороу царевоу. или соудїинꙋ. да приде и рече, дати кю брата старенга на соудь.
25 да га даа. а силѥ да мꙋ нѣсть ѿпїирати.

Ѿ о т р о ц ѣ х ь и н е р о п с ѣ х ь

Ѿтроци и неропси кои сѣде заедно. оу еднꙋмь сѣлѣ. всака плака коꙗ прїиходи да плакꙗю вси заедно. на люды како платꙋ плакꙗю. и работꙋ | работаю. тако и землю да дрьже.

Ѿ закѡнȣ

Мѣрѡпхѡмь закѡнь по всои земли. оу недели да работаю два дьни
прониꙗроу и да мȣ дава оу годищоу перьпероу царевоу, и заманицѡмь
да моу косе, сѣна дьнь единь. и винограда дьнь единь а ктѡ не има
5 винограда. а ѡни да мȣ работаю ине работе дьнь. и що работа мерѡпьхь
този все да стежи. а инѡ прѣзь закѡнь ница да моу се не оузме.

И ктѡ се ѡбрете. оу еднои коукы. или братенци. или ѿць ѿ
сыновьь. или инь ктѡ, ѿделиень хлѣбѡмь и иманиемь. ако боуде
на еднѡмь ѡгниши. а темзи ѿделиень. да работа ꙗко ини мали людие.|

10 И кто зло ȣчини, брать, или, сынь или, родимь кои соу ȣ еднои
коуки, все да плати господарь коукїи, или, да дасть кои ке зло ȣчиниль.

Ѿ сьборȣ себровȣ

Себрова збора да нѣсть. ктѡ ли се ѡбрѣте сьборникь, да моу се
ȣши оурежоу. и да се ѡсмȣде поводьчїе.

15 Сирѡта коꙗ нѣсть ꙗка прѣти. или ѿпирати да дае пьрца кои
ке прѣти за ню.

Ѿ паши

Селѡ сь селѡмь да пасе, коуде едно селѡ тȣде и дроуго, развѣ
забельь законнитьхь. и ливадь да не пасе ниткѡ.

20 Жоупа жоупѣ да не попасѣ добиткѡмь ница. ако ли се ѡбрѣте
кедно. оу ѡноизи | жоупѣ. оу кога любо властелина. или кесть царьства
ми или кесть црьковно селѡ. или вастеличикꙗ. ѡномоузи селȣ ниткѡ
да не забрани пасти, да пасе коуде и жоупа.

За попашȣ

25 Ꙗще ктѡ попасе жито, или виноградь. или, ливадоу грѣхѡмь. тѣзи
попашоу да плати, що рекоу доушьници кои цѣне. ако ли нахвалицѡмь
попасе. да плати попашоу. и .ѕ҃. воловьь.

За поткоу

Потка мегю селми .н҃. перперьь. а влахѡмь и арбанасѡмь. р҃. перьперь.
30 и тези потке цароу полѡвина. а господарȣ половина. чик боуде селѡ.

19 не пасе исписано изнад реда, руком писара, после да.

Ѡ прѣнїи соуда

О земли и ѡ людехь црьковнїихь, що имаю с кїимь соудь црькви,
акѡ | ктѡ изнесе милостноу книгоу, или рече милостника имамь. оу
тоизе книзѣ. и оу томзи милостникоу ница да нѣсть. развѣ да се соуде
5 по закwноу црьковномь и царьскwм. нь да оупросе цара.

Ѡ мегыахь

Й за мегѥ зем'ли що се потвараю села мегоу собwмь. да ице соудwмь
ѡт светаго кралıа. кьда се ѥ прѣставиль. ако ктѡ дасть милость ца-
ревꙋ. и речеть дал ми ѥсть господинь   царь, како ѥсть дрьжаль мои
10 дроугь прѣгѥ мене. ако дасть милость царевоу. да боуде таако, да си
дрьжи ѡсвень црьков'нога.

За мегѥ селске

Й за мегѥ селскѥ. да дадꙋ ѡбои. кои ице свѣдокїе. ѡнь половиноу.
а ѡнь половиноу. по законоу. да коу|де рекоу свѣдоци. тоговази да
15 ѥсть.

Ѡ планїнахь

Планине що соу по земли царьства ми. що соу планине цареве, да
соу царꙋ а црьковне црьквамь. а властелске властелwмь.

Ѡ власѣхь и арбанасѣхь

20   Где прѣстои влахь или арбанасинь. на сѣлѣ. на томзи селе да не
стане дроугыи за нимь греде. ако по силѣ стане да плати поткоу. и що
ѥ испас'ль.

Ѡ книгахь милостнихь

Где се изнесете двѣ книзѣ царевѣ за едноу. ипотесь, за землю.
25 ктѡ сьди дрьжи. до синегази доба. сьборнога. тогова да ѥсть, а ми-
лость да се не потвори.

Ѡ котлѣ

Соудбине да не за котьль, ни ѡправе никоѥ. ктѡ се ѡправи да не
дава соудиıамь ѡправе. ѡке | на соудѣ да нѣсть и ѡпаданиıа. и оудаве.
30 тькмо да се соуде по законꙋ.

Ѿ бабꙋнскои речи

И кто рече бабꙋнскꙋ речь. ако бꙋде властелинь да плати .р҃. перь-
перь аще ли бꙋде себрь да плати. в҃і. перьперь и да се бине стапи.

Ѿ ꙋбїиствѣ

5 Ктѡ нѣсть дошьль нахвалицꙋмь по силѣ. тере ѥ ꙋчиниль ꙋбіи-
ство да плати .т҃. перьперь. ако ли бꙋде пришьль нахвалицꙋмь. да
мꙋ се ѡбѣ рꙋцѣ ѿсекꙋ. и где се наиде ꙋбивиство ѡнзи коино бꙋде
задраль бои. да ѥсть кривь, ако се и ꙋбиѥ.

Ѿ ѥмьствѣ

10 Кьде се пре властеле ктѡ се ꙋ що ꙋпрїи, да дава ѥмьце.

Ѿ позванїи

Кто позове кривца прѣд сꙋдиѥ позвавь и не поиде на сꙋдь. нь |
сѣди дома, ѡнзи кои ѥсть позвань, ако приде на рокь прѣд сꙋдиѥ.
и ѿстон се по законꙋ. тьзи да ѥсть прость ѿ тогази дльга за кои
15 ѥ быль позвань. ерѣ ѡнзи позвавь дома сѣдіи.

Ѿ залѡгахь

Залогиѥ когꙋде се ѡбрѣтаю да се ѿкꙋпꙋю.

Ѿ прѣнїи

Кьда се пойнта два ако рече единь ѿ нихь имамь пристава ѡвдези
20 на дворꙋ цареву. или на сꙋдиноу да га даа. кьда га поище и не ѡбрѣте
га. ѡнꙋдези на дворꙋ, тьи чась да прїиде на сꙋдѣ и да рече не наидꙋхь
пристава. ако ѥсть на ѡбѣд да мꙋ ѥсть рокь на вечери. да га дасть ютрѣ
на ѡбѣдь. ако ли га бꙋде ѿслаль царь или сꙋдіа на работꙋ, тогаи
пристава. да нѣсть кривь ѡнзи кꙑи га дае да моу поставе рꙋкь. докліє
25 ѡнзи | приставь прїиде, да га даа прѣд сꙋдіами.

Ѿ познанїи лица

Аще ктѡ позна лице под чловекѡм. а бꙋде ꙋ горѣ ꙋ поустоши,
да га поведе, ꙋ прьвниє селѡ. и зароучи селоу и позове. да га дадꙋ прѣд
сꙋдиѥ. ако ли га не даа селѡ прѣд сꙋдиѥ, що покаже сꙋдь да плати
30 селѡ този.

---

[23] ѿслаль: надредно т ум. првобитно написаног д.
[27] чловекѡм написано цело, са є ум. ѣ.

24

Ѿ провожденїи чловѣка дрѹжнааго

Ктw проводи дроужнѥга чловѣка, оу тѹждоу землю да моу га дасть самоседмога.

Ѿ вьiиствѣ

5 Ако оубиѥ властелинь себра оу градѹ или оу жоупѣ. или оу катѹноу. да плати, тисоукю перьперь. ако ли себрь властелина оубїе. да моу се wбѣ роуцѣ wтсѣкоу. и да плати .т. перьперь.

Ѿ псости

Аще ктw wпсоуѥ светителia. или калоугιера | или попа. да плати
10 .р̃. перьперь.

Ѿ оубїиствѣ

Ктw се wбрѣте оубивь светителia или калоугιера или попа. да се тьзи оубиѥ и wбѣси.

Ктw се wбрѣте оубивь wтьца или матерь или, брата. или чедо своѥ
15 да се тьзи оубиница иждеже на wгни.

Ѿ скѹбежи

Ктw се wбрете wскоубь брадоу властелиноу. или доброу чловѣкоу да се томоузи роука wтсече.

Ако се wскоубета .в̃. себра, да нєсть мехwскоубине. з̃. перьперь.

20 Ѿ запаленнїи

Ктw ли се нагiе оужегь коукю, или гоумно. или сламоу. или сѣно. по пизмѣ комѹ. да се пожежьца ть ижеже на wгни. ако ли се не нагiе да този селw дасть пожежцѹ. ако ли га | не дасть. да плати wнои селw цιо би пожежца платиль.

25 Аще ли ктw оужеже извнь села гоумно или сено. да плати wколина или да дасть пожежцоу.

---

[24] цιо би најпре два пута писано, па је вероватно сам писар брисањем исправио грешку.

Ѿ наѥздѣ

Силѣ да нѣсть никомоу ни за ѥднь дльгь оу земли царьскои. ако
ли га ѡбрѣте наѥзда. или сила похвална. ѡнизи кони наѥздни вси да
се оузмоу. половина царѹ, а половина ѡномѹзи на кога сѹ наꙗхали. и
5 чловѣци наꙗхалци да примоуть казнь како пише оу законоу светїихь
ѿцьхь. оу градецихь гранахь, да моучит се ꙗко и волни оубїица.

Ѿ ѹзданїи

Оузданїа да нѣсть. никѹмѹ ни оу чесѡмь. кто ли се поѹзда що.
да плати самоседмо.

10 ## Ѿ сѹдѣ

Я що соу ѡтроци. | да се соуде прѣд своими господары. како любиѥ
за своѥ дльгове. а за царевѣ да гредоуть прѣд соудїе. за крьвь за враждоу.
за тати за гоусаре. за прѣѥмь людскїи.

Ѿ позиванїи

15 И да се не наведе приставь на женоу. кьда нѣсть моужа дома. ни
да се позива жена без моужа. нь да си дасть жена моужоу гласъ. да
гоѥде на соуд. оу томзи моужь да нѣсть крїивь, доклиѥ мѹ не даде гласа.

Ѿ книгахь царевѣхь

Книгѥ цареве коѥ се приносе прѣд соудїе за що любо. тере ихь пот-
20 вара законь царевь. що ѥ записаль царь комоу любо книгоу. ѡнези книгѥ
коѥ потвори соудь. тези книгѥ да оузмѹ соудїе. и да ихь принесоу прѣд
цара.

Ѿ дворанѣхь

Дворане властел'сци | ако ѹчини коѥ злѡ ктѡ ѿ нихь. ктѡ боуде
25 пронїаревикь. да га ѡправе ѡчина дроужина порштомь. ако лї е себрь.
да хвати оу котьль.

За ѿбои

Ктѡ се наиде ѿбивь соудїина посльника. или пристава. да се плѣни.
все да мѹ се оузме що има.

---

⁴ царѹ исписано руком писара изнад реда, после речи половина.

Ꙍ и з д а н і и

И ѡ издаве, сïнце. да боуде. издава ѿ землѥ прïиставоу .г҃. пе-
рьпере. ѿ села .г҃. перьпере. ѿ млина .г҃. перьпере. ѿ жоупе ѿ всакого
села .г҃. перьпере. ѿ града кꙋнь и свите. ѿ винограда .г҃. перьпере. ѿ
5 кона, перьпера. ѿ кобиле .ѕ҃. динарь. ѿ говедета .д҃. динара, ѿ брава
.в҃. динара.

Ꙍ с ѫ д ï а х ’

Соудïе коуде грѣдоу по землѥ царевѣ. и своѥи ѡбласти. да нѣсть
волнь оузети ѡбро|ка по силѣ. ни ино що любо. развѣ поклона що моу
10 тко поклони ѿ свога хотенïа.

Кто се наиде соудïю ѡсрамотивь. ако боуде властелинь. да моу
се все оузме. ако ли село да се распе и плѣни.

Ꙍ с ѫ ж н ѥ х ь

Кои чловѣкь оутече. изь соужьньства сь, чимь прïидеть на дворь
15 царевь. или ѥсть царевь чловѣкь. или црьковни. или властел’ски. с
темзи да ѥсть свободнь. а що ѥсть ѿбѣгль. оу тогази чловѣка комꙋ
ѥсть оутекль. този да ѥсть комꙋ ѥсть оутекль.

Кꙋи се соужьнь дрьжи оу двороу црьковнѡмь. тере оутече оу ца-
ревоу полатоу. да ѥсть свободнь. такожде и кои соуж’нь оутече, на
20 дворь патрïар’хꙋвь да ѥсть свободнь. |

Ꙍ л ю д ѣ х ь   в л а с т е л ь с ц ѣ х ь

Людïе кои се враꙑꙗ ис тꙋгѥ землѥ оу землю цареву. ктѡ боуде
побѣгль ѿ ѥмьства. ѡнизи ѥмци кои то соу по томзи чловѣкоу ница
да не плате.

25 И кто ѥсть чинега чловѣка прïель изь тоугѥ землѥ. а ѡнь ѥсть
побѣгль ѿ свога господара ѿ соуда. ако да книгоу. милостноу цареву.
да се не потвори. ако ли не дасть милости. да мꙋ га вратии чïи боудеть.

Ꙍ О Б Р Ѣ Т Ѣ Л И

Ктѡ що нагѥ оу цареве земли. да не оузме тере рече вратити кю.
30 ако кто позна тере похвати. или оузме. да плати како тать и гоусарь.
а що нагѥ оу тоугѥи землѥ на воисцѣ. да веде и несе прѣд цара и
воѥводе.

Що ѥсть комꙋ прѣшлѡ оу царевоу землю | или ѿ града или ѿ
жоупѣ. що ѥсть до приѥтїа господина цара. доклѥ не былѡ царево. нь
ѥ былѡ инога господара. ѿ тѡгази врѣмѣна що ѥсть чловѣкь, или
ина правда, да се не ище. аще ѥ прѣшло по прїиѥтїи господина цара. този
5 да се ище.

Ѡ трьгꙋ

Трьговци кои гредоу по цареве земли. да не вол'нь, ни кои власте-
линь, ни, кꙑи любо чловѣкь, забавити по силѣ, или заграбити коуплю.
а динаре мꙋ силѡмь наврьки. кто се нагѥ силѡмь растоварити. или раз-
10 балавь. да плати .е҃. сьть, перьперьь.

Скрьлата. и мале и вѣлике коуплѥ потрѣбне. трьговци да гредоу
по землѥ царевѣ. да продаю | и коупꙋю како имь трьгь доноси.

Царинникь царевь, да нѣсть вольнь забавити. или задрьжати
трьговца. да мꙋ коуплю кою продасть ꙋ безценье. волно да проходїи
15 в'сакꙑи по всѣхь трьговѣхь. и волѡмь да си походи сь своиѡмь коуп-
лѡмь. да нѣсть вол'нь властелинь. ни маль ни великь, ни, инь кои любо
задрьжати или зароучити своѥ люди или ине трьговце. да не гредоу на
трьговѣ цареве. нь да гредe всаки свободно.

Ако ли властелинь задрьжи трьговца. да плати .т҃. перперьь. ако
20 ли га царинникь задрьжии да плати .т҃. перьперь.

Ѡ хрисоволѣхь

Градове грьчьсции. коих ѥсть приѥль господинь царь. що имь|
записаль хрисоволіе. и простагме що си имаю. и дрьже до сиѥга сьбора
този да си дрьже. да имь ѥ тврьдо и да имь се не оузме ница.

25 ### Ѡ приселицах'

Градовѡмь да нѣсть приселице. развѣ кто догѥ. да доходи кь
станіанинꙋ, или маль или великь. да гредe кь станіаниноу. да моу прѣда
конь и стань вьсь. да га сьблюде станіанинь сь всемь. и кьде си поиде
ѡнꙑзи гость да мꙋ прѣда станіанинь все що моу боуде прѣдаль гость,
30 ако моу боуде що погиноулѡ, все да мꙋ плати.

Градска землꙗ що ѥсть ѡколо града, що се на неи гоуси, или оу-
краде. да плати все този ѡколина.

---

[1] У речи прѣшлѡ, слово ѣ написано је преко погрешног и.
[2] У речи жоупѣ, слово ѣ написано је преко е.
9-10 разбалавь правилно, преко погрешног разбравлавь.
[11] У речи вѣлике, слово ѣ преко првобитно правилно написаног е.
[12] У речи царевѣ, слово ѣ преко погрешног е.

Ѿ зиданїи града

И где се град ѡбори, или коула. да га напра|ве граг'ане. тогази града. и жоупа що ксть тогази града.

Господинь царь кьди име сына женити. или, крьщеніє. и боуде мѹ на потребоу дворь чинити. и коукіє. да всакь поможе маль и великь.

Ѿ воискахь

На всакои воисцѣ да ѡбладаю воєводѣ. колико царь що рекоу да се чює. ако ли ихь ктѡ прѣчоукіє оу чемь. да имь ксть този ѡсѹждєніє. коіє и ѡнѣмзи кои би цара прѣслоушали. соудове мали и големїи кои соу на воисцѣ. да имь соуде воєводѣ а инь, никтѡ.

Црькьвь ктѡ ѡбори на воисцѣ. да се оубиє или ѡбѣси.

Ѿ свадѣ

На воисцѣ сваде да нѣсть. ако ли се свадита дьва да се биєта а инь никтѡ ѿ воинникьь. да имь не поможе. | на порвицѹ. ако ли ктѡ потече, и поможе на порвицѹ. да се накажѹть роуцѣ да имь се ѿсекоуть.

Що ктѡ, коупи ѿ плѣна изь тѹгіє землє, що боуде плѣнєно. по цареве земли. да ксть воль коупити ѿ тѡгази плѣна колико ѹ тоугієи земли. ако ли кто потвори. говоре ѡнози ке моіє. да га ѹправи порота по законоу. єре ке коупиль оу тоугієи земли. а не моу ни тать ни проводь- чїа, ни сьвѣтникь. такози да си га има како своіє.

Ѿ поклисирехь

Поклисиꙗрь що греде. изь тоугіє землє кь цароу. или ѿ господина цара кь своіємоу господиноу, где прїиходи ѹ чіє любо селѡ. да мѹ се чини чьсть. да мѹ кє. | всего доволно. нь да ѡбѣдоукіє или вечера. а да греде напрѣда, оу ина села.

Ѿ записаннїи книгьь

И що запише господинь царь книгоу за бащинѹ комѹ запише селѡ оу бащинѹ. да ксть лѹгѡдетѹ, л҃. перьперьь. за хрисовоуль. а комоу жоупѹ ѿ всакогѡ села по .л҃. перьперьь. а дїакоу за писаніє .ѕ҃. перь- перьь.

<hr />

[16] Слог на у речи плѣна писар је дописао изнад реда.

Ѿ в о и с ц ѣ

Боиска коіа грєдє по зємли царєвє. гдє паднє оу коіємь сєлоу. дроугаа по ѡнои идꙋкы да нє паднє оу томзи сєлоу.

Бь лѣто ҂ѕѽѯ҃в҃ индикті́ѡнь сєдми

5 Книга царєва да сє нє прѣслꙋша гдє приходи. или кь госпожди царици или кь кралю. или кь властєлѡмь кь вєликимь и малимь, и всакомꙋ чловѣкꙋ | никтѡ да нє прѣчюѥ що пишє книга царєва. ако ли боудє таковаа книга що нє можє ѡнзи сьврьшити, волꙗ нє има да дасть ть чась. да грєдє ѡпєть с книгѡмь кь цароу да ѡповѣдаа цароу.

10 Ѿ х р ꙋ с о в о л ѣ х ь (sic)

Хрисовоули царєви що соу ꙋчинєни градовѡмь царєвємь що имь пишє. да имь нѣсть волнь потворити ни господинь царь. ни инь ктѡ. да соу хрисовоули тврьди царсци.

Ѿ л ь ж н ѡ м п и с а н і и

15 Аще сє наиє оу чіємь хрисовоули. слово льжно прѣписано. и ѡбрѣтꙋ сє словєса прѣтворєнна. и рѣчи прѣлаганнє. на ино що нє повєлєль царь. да сє тизи хрисовоули раздєроу, а ѡнзи вєкіє да нє имаа бащинє.

Мєропхѡм вь зємли царєвє. да нѣсть | волнь ниѥднь госпѡдарь прѣзь законь ница оучинити. развѣ що ѥсть царь записаль оу законницѣ.
20 този да моу работа и дава. ако ли моу, ꙋчинини (sic) що бєзаконно. повєлєва господинь царь да ѥсть волнь всаки мєропьхь прѣти сє сь своимь госпѡдарємь. или сь царємь или. сь госпождомь царицѡм. или сь црькввѡмь. или сь властєли. царєвєми. и с кимь любо. да га нє волнь задрьжати ѡт соуда царєва. развє да мꙋ соудіє соудє по правдє. и ако
25 ꙋпри мєропьхь госпѡдара. да га оуѥмьчи соудіа царєвь, како да плати господарь всє мєропхꙋ на рокь. потѡм, да нѣсть волнь ѡнзи господарь никоѥ зло ꙋчинити мєроп'хꙋ.

Ѿ п р і и є т и и т ꙋ ж д є г а ч л о в ѣ к а

Повєлєниѥ царскѡ, никтѡ ничіѥга | чловѣка да нє примє, ни царь
30 ни царица, ни црьква, ни властєлинь. ни прочіи ктѡ любо чловѣкь.

[4] сєдми писар исписао на маргини, у висини наслова.
[10] хрꙋсоволѣхь ум. уобичајеног хрисовꙋлѣхь.
[13] Слова исов у речи хрисовоули исписана су изнад реда.
[20] ꙋчинини дитографија, треба ꙋчини.

да не прїиме ничїега чловѣка без' книге цареве. такози да се каже ктw любо како и невѣрникъ.

Такожде и трьговѣ, и кнезовѣ, и по градовѣхь, чїега чловѣка прїимоу. тѣмжде wбразомь да се кажоу и wтдадоу.

5   СѠ в л а с т е л е х ь к о и з а т и р а ю д р ь ж а в ꙋ

Властелwмь и властеличикїемь коимь ѥсть даль царь землю и градовѣ. ако се кто wт нихь wбрѣте, wплѣнивь села и люди и затрьвь прѣзь закwнь царевь. що ѥсть оузаконилъ на сьборѣ | да моу се оузмѣ дрьжава. и що бꙋде строуль да плати все wт своѥ кꙋкѥ. и да се каже ꙗко
10   прѣбегл'ць.

СѠ г ꙋ с а р ѣ х ь

И ако се wбрѣте гоусарь. wшьдь прѣзь дрьжавоу краищника. и плѣни где годе. wпеть се врати с плѣнwмь. да плакꙗ краищникь самоседмо.

15   СѠ п о б ѣ г ь л ц ѣ х ь

Ꙗко ли се wбрѣте властелинь, или властеличикь, побегьльць. и инь ктw любо царевь. тере оустаноу на грабльнениѥ. wколнꙗ села или жоупа. на нѥговоу коукю. и на нѥговь добитькь що боуде wставилъ. wнизи кон този оучине. да се кажоу како невѣрници цареви.

20   СѠ т а т ѣ х ь и г ꙋ с а р ѣ х ь

Повеленїе царьскw по всехь земльꙗхь, и по | и по (sic) градовѣхь и по жоупахь. и по краищехь гоусара и тата да нѣсть ни оу чниемь прѣделоу. и симзи wбразwмь да се оукрати татба. и гоусарьство. оу коием се селѣ нагѥ тать, или гꙋсарь. този село да се распе а гоусарь да се wбѣси
25   стрьмоглавь. а тать да се wслѣпи. и господарь села тогаи. да се доведе свѣзань кь цароу. да плакꙗ в'се що ѥ оучинилъ тать и гоусарь wт испрьва. и паки да се каже како тать и гоусарь.

Такоже и кнезове. и премикюрие. и владалци. и прѣстанници и челници. кон се wбрѣтаю сели и катоуни wбладающе. тизи вси да се кажоу
30   wбразомь выше писанниимь. акїе се наи|де оу нихь тать или гоусарь.

Ꙗкїе ли соу. владалци wповедали господаремь. а господари се поневѣдѣли да се тизи господари кажоу како тать и гоусарь.

---

[21] и по погрешком писара поновљено у почетку првог реда на листу 201ᵣ, али је потом брисано и по на завршетку последњег реда листа 200ᵛ.
[25] У речи wслѣпи, слово ѣ написано преко првобитног ѥ.

Ѿ соудиꙗхь

Соудїе кое ксть царь положиль. земли соудити. ако пишоу за що любо за гꙋсара и тати, или за кое любо ѹправданїе соудьбно. тере прѣслꙋша книгоу соудїе царева. или црьква. или властелинь. или кто любо чловѣкь
5 ѹ земли цареве. тизи вси да се ѿсоуде, ꙗко и прѣслꙋшници цареви.

Ѿ татѣхь и гꙋсарехь

Симзи ѡбразомь да се каже тать и гоусарь ѡбличнии, и такози вь ѡбличенїе ако се що где лицемь ѹхвати ѹ нихь | или ако се ѹхвати ѹ гоусѣ или ѹ краги или ихь прѣдадꙋ жоупе. или селѡмь. или госпо-
10 дарие. или властелю, кои соу над ними. како ксть више ѹписанно, тизи гоусарие и тати да се не помилꙋю, нь да се ѡслѣпе или ѡбѣсе.

И ако ктѡ понще соудѡмь гоусара и тата. а не боуде ѡбличенїа. да имь ксть ѹправдание желѣзо що к положиль царь да га ѹзимаю ѹ вратѣхь црьковнихь ѿ ѡгнꙗ. да га постави на светои трапезѣ.

15 Ѿ поротѣ

Повеление царскѡ, ѿ сьда напрѣдь да ксть порота за много и за мало. за велико дѣлѡ. да соу ,кд. поротници а за помьни дльгь да соу. вı. поротьць. а за малѡ дѣлѡ .ѕ. поротьць | и тизи поротници да нѣсꙋ волни никога ѹмирити. развѣ да ѹправе. или паки да ѡкривѣ.
20 и да ксть всака порота ѹ цркви. и попь ѹ ризахь да ихь закльне. и ѹ поротѣ камо се векїи кльноу. и кога векїи ѹправе тизи да соу вѣровани.

Како ксть бииль закѡнь. ѹ деда царева ѹ светаго кралꙗ. да соу, велїим властелѡмь, велїи, властелие поротници. а срѣднимь людемь противоу ихь дроужина. а себрьдїамь нихь дрꙋжина. да соу. поротници.
25 и да нѣсть ѹ поротѣ родима. ни пизматора.

Закѡнь

Иновѣрцѣмь, и трьговцемь. поротници. половина христїань. а по- ловина нихь. дрꙋжина, по законꙋ светаго кралꙗ.

Закѡнь

30 Кои се поротци кльноу, и ѹправе ѡногази | по законоу. ако се по тонзе ѹправе ѡбрете поличїе истинно. ѹ ѡногози ѹправчїе кои соу ѹправили. рекше поротници. да ѹзмѣ царь на тѣхзи поротницѣхь враждоу. по тисоущи, перьперьь, а векіе потомь да несоу тизи поротници

---

[9] или ихь у рукопису контаминацијом везника и заменице стоји написано илихь са уобичајено надредним х испод веома редуковане титле.

[11] или написано најпре и, а потом ли изнад реда.

вѣровани. и ако се изнагїе єре соу знаюки крїиво шправїили. или штдали. или некаю мита. оузимали. плативше више реченноє. и да се заточе. оу иноу землю, незнаиємᲆ.

ꙍ прѣселицахь

5   Ꙍт сьды и напрѣда. прѣселице да нѣсть ни слѣда ница. развѣ ако се слоучи велика властелина стегоноше оу жоупе. или помала властелина. кои дрьже дрьжавᲆ на се. и не имаю, оумѣсе никоіє мегᲆ | совьмь. и мегю своиюмь дрьжавюмь, тизи да плакаю.

На земли цареве рекше на мѣропшинахь. да не оузимаю властеле
10 присѣлице. ни иноу кою платоу. развѣ да плакаю шт коукіе.

Где се шбрѣтаю жоупе смѣсне. села црьковна и царева. и властельска. и боудоу смѣсна села. и не бᲆде над тюмьзи жоупюмь єднога господара нь ако боудоу кіепалїе и соудїе цареви коихь іє поставиль царь да поставе страже по всехь поутехь. и кіепалїамь да прѣдадоу пᲆтове.
15 и да ихь блюдоу сь стражами. да ако се ктю гоуси, или оукраде. или се коіє зло ᲆчини. ть часᲆ да гредоу кь кіефалїамь. да имь плакаю шт своіє коукіе, а кефалїе. страже да ищоу и гоусаре | и тати.

ꙍ стражахь

Ако іє брьдо поусто междᲆ жоупами. села школна коіа соу. школю
20 тогази брьда. да блюдоу стражоу. ако ли не оуз'блюдоу стражоу. що се оучини оу томьзи брьдоу. ᲆ поустоши щета. или, гоуса или. крагіа. или. коіє зло. да плакаю школна села. коимь ієсть реченно блюсти поуть.

ꙍ трьговцехь

Коупци кюи проходе. ноцїю на ложище где догю. ако ихь не при-
25 поусти владалць. или господарь села тога да шблюгоу оу селоу коупци. по законоу царевᲆ како ієсть оу законницѣ. Ако що изгᲆби поутникь. юнᲆзи господарь и владальць. и селю все да плати єре ихь нѣсоу ᲆ селю поустили.

ꙍ гостѣхь и ш гоусарехь

30 Ако се где слоучи. коіємоу любо гостеви, | или. трьговцоу. или ка-лᲆгіерᲆ тере моу оузме що гоуса. или тать или коіа годе забава. да гредоу тизи вси кь цар̑ᲆ. да имь плати царь що боудоу изгᲆбили. а царь да ище кіепалїе и властеле. коимь боуде поуть прѣдань и страже прѣдане.

⁶ После речи властелина избрисана дитографија [стелина].

и всакїи гость и трьговць и латининь. да доходи кь прьвїимь стра-
жемь. сь всемь що има и носи. да га провагаю. и стража стражи да га
прѣдава сь всемь. ако ли се згодии, тере що изгоубе. да имь нєсть порота
вѣровани чловѣци. що рекоу доушомь ере соу изгоубили. този да плате
5 кнєпалнє и стражи.

Ѿ прѣнїи соудѣ

На соудѣ кои се соудѣ пьрци. и кои се соудѣ за свою приитьчю. и wнзи
wтпьрчїа за що га прїи. да нє, волнь, wтпьрчїа. инє речи говорити |
потворнє. на wногази пьрца. ни за невѣроу ни. за ино дѣлw. развѣ да
10 моу wтпира. а кьда сьврьши соудь, ако що има потwмь, да говори
ш нимь прѣд соудиѣми царевеми. а да моу сє нє вѣроуѥ. ни оу чимь що
говории. доклѣ моу сє нє исправїи.

Пристави безь книгѥ соудиинє, никамо да нє грєдоу. или безь книгѥ
царевє, развє коудѣ ихь посилаю соудиѥ да имь пишоуть книгѥ и да нє
15 имѥ приставь ино що чинити. развѣ що пише книга. А соудиѥ да дрьжеть
такогѥрє книгѥ. каковѣ соу дали приставомь. конх соу послали да исправе
по земли. да ако боудє потворь приставwмь. нєрє боудоу ино оучинили.
нєго що пише книга. или ако боудоу прѣписали книгѥ на инь wбразь.
да имь нє wправданїє | да идоу прѣд соудиѥ. и акѥ соу сьврьшили како
20 пише оу соудиинѣ книзѣ. конє соудиѥ дрьже да соу прави. ако ли сє wбрѣтоу
ерє соу инако прѣтворили соудь. да имь сє роуцѣ оусекоу или єзикь оу-
рєже.

Всакїи соудиа що соуди, да оуписоуѥ соудове. и да дрьжи оу себе.
А дроугоу оуписавше. да ю даѥ wномоуи кои сє боудє wправиль на соудѣ.

25 Соудиѥ да посилають прїиставе, добрє правe и дѡстовѣрнє.

Ѿ потворницехь

Ако сє wбрѣтє кои любо потворникь. и аще (sic) кого потворwмь
и льжwмь и wбѣзwмь. таковии да сє кажe како тать и гоусарь.

Ѿ пиꙗницахь

30 Пиꙗница wткоуда грєдє. и заврє кога или посѣче или wкрьвави а
нє до сьмрьти, таковомоу пиꙗници. да моу сє wко изме и роука wтсѣче.
ако ли пиꙗнь задерє | или капоучь комоу скинe. или иноу срамотоу оучини.

---

27 и аще погр. ум. иже партицип презента активни.

а не шкрьвавїи, да га бїю сто стапи, рекше .р. крати. да се оударїи стапи. и да се врьже оу тьмницоу. и потшмь да се изведе ис тьмнице. и да се пакїи бїе и поусти.

Ѿ с8ди ѿ пьрцехь

Пьр'ци, кшн. исходе на соудь царевь, да кою речь изговоре оу прьвиноу. тези рѣчи да соу вѣроване. и темьзи речемь да се соуди. а последнимь нища.

Ѿ златарех

Златара оу жоупахь. и оу земли цареве нигде да нѣсть. разве оу трьговѣхь. где нєсть поставиль царь динаре ковати.

И оу градовѣхь царевѣхь. да стоє златарїе и да ковоу ине потребе.

И ако се шбрѣте златарь оу градоу кове динаре таинно. да се златарь иждеже. а град да плати глобоу що рече царь. |

Яко ли се шбрѣте оу сѣлѣ. да се село расипе а златарь да се иждеже.

Ѿ правдѣ

Повеленїе царьскш. яко пише книгоу царь. или по срьчьбѣ, или по любви. или по милости. за некога. а шнаи книга разараєть законнкь. не по правдѣ и по законоу. како пише закшнь соудїе тѣзи книгоу да не вѣроують тькмо да соудѣ и врьше по правдѣ.

Всаке соудїе да соуде по закон8 право како пише оу законникоу. а да не соуде по страхоу царевоу.

Ѿ подводѣхь

Властеле и властеличики. кои гредоу 8 дворь царевь. или грькь, или, немьць, или срьбинь, или властелинь инь ктш любо. аке доведе сь собомь гоусара, или тата, да се шньзи господарь каже како тать и гоусарь.

Ѿ бащинахь

Людїе землѣне. кою имаю свою бащинноу землю. и винограде и коупленице. да с8 | волни шт своихь виноградьь. и шт землѥ оу прикїю

дати. или цръкви подложити или продати. а вин8 да ксть работникь
на томзи мѣстѣ. шномоузи господароу чїе боуде селш. ако ли не боуде
работника на шномзи мѣстоу. да ксть волнь оузети шнези виногрⷣде
и нивїе.

5 Ѿ с о у д ї а х ь

Кⷪⷷⷩⷩⷩⷩⷩⷩⷩⷩ соудїа ксть оу двороу царев8 и оучини се кок злш. тѣмзи да
се разьсоудїи. ако ли се шбрѣтѣта пьрьца намѣршмь, на дворе цареве.
да имь разьсоуди соудїа дворьскїи. а никтш да се не позива на дворь
цаⷬевь. мимо шбласть соудїи. коихь ксть поставиль царь тькмо да
10 греде всакїи прѣⷣ свога соудїю.

Ѿ з а к о н ѣ

Градове вси по земли цареве да соу на законѣ како соу били, 8 прь-
вⷤⷩ⷟ихь царь. за соудове що имаю мегю | собомь. да се соуде прѣⷣ вла-
далци градьскїими и прѣⷣь цръковнимь клиршсомь. Ꙗще ктw жоуплꙗ-
15 нинь, при грⸯганина. да га при прѣⷣь владалцемь градьскымь. и прѣⷣь
клиршсомь цръковнимь по законоу.

Ѿ д в о р ь с к ш м ь с 8 д о у

Кⷪⷷⷩⷩ властелинь сток оу коукⷺ цареве всегда. ако ихь ктw прⷩ. прѣⷣ
соудїⷳⷳⷳⷳ дворьскымь а инь никтw да имь не соуди.

20 Соудїе коуде посилаю. приставе и книге. ако ктw прⷺч8к и wтбїе
пристава. да пиш8 соудїе книге кепалїамь, и властеломь оу чики боуⷣ8 |
дрьжавѣ шнизи прѣслоушници. да сьврьше за този власти що пишоу
соудїе. ако ли не сьврьше власти да се кажоу како прѣслоушници.

Соудїе да прохⷣе по земли к8дⷺ ком8 ксть шбласть. да глкдаю
25 и да ипралⸯаю (sic) оубогыихь и нищихь.

Ѿ п о з н а н ї и л и ц а

И ако ктw що оухвати. гоушено, или крадено лицемь, или силшмь
оузето. всакы w тшмь да дасть сводь ако ктw боуде коупиль где любо.
или оу земли цареве. или оу инои земли выноу да дасть w тшмзи сводь.
30 ако ли не да свода. да плакꙗ по законоу. |

Повеленик царьско соудїамь. ако се шбрѣте велико дѣлш. и не оуз-
мог8 разьсоудити, и исправити кои любо соудь великь боуде. да греде

25 ипралⸯаю погр. ум. испралⸯаю одн. исправлꙗю.

ѿ соудїе. единь сь ѡбѣма ѡнѣмази пррьцема прѣд цара. и що хѡте
комь соудити соудїе. всакы соудь да оуписоую. како да не боуде некоюго
потвора. да се исправлѣ по законоу цареvoу.

Ктw юсть ѡбласти коихь соудїи. всакы чловѣкь да нѣсть вольнь
5 позивати оу дворь царевь. или камw инамw. тькмо да греде всакы, прѣд
свога соудїю оу чини боуде ѡбласти да се разьсоуди по законоу.

Станници цареви, да гредь прѣдь. | соудїе. що имаю соудь мегю
собомь, за враждоу за гоусара, за тати. за прѣемь людскы. за крь,
(sic) за землю.

10 Бластеле и кепалїе цареви. кои дрьже градове и троговѣ, (sic) никтw
ѿ нихь да не прїиме ничиюга чловѣка оу тьмницоу без книге цареве
ако ли га ктw прїиме прѣз' заповедь цареvoу. да плати. е̃ сьть перь-
перь.

Тѣмжде ѡбразомь ктw дрьжи тьмнице цареве. да никога не приме
15 ничиюга чловѣка без повеленїа царева.

Коуде царь и царица. или станове. или кони цареви. оу кwмь сель
прѣлеже потомь ниюдинь станникь. да не прѣлежи оу томьзи селоу.
ако ли се ктw ѡбрѣте и прѣлежи оу тwмьзи селоу прѣз' закwн | и по-
вѣлению царево. wнѣзи кои старєи прѣд станови. да се да свезань wнѣи
20 сель, що боуде стрьвено да плати самоседмо.

Ѿ   к о н и и х ь   и   п с е х ь

Коуде гредь кони и пси и станове царевы. що имь се пише оу кизе
(sic) цареве да имь се тw изьдасть а ино ница.

Ѿ   г л о б а р е х ь

25 Глобарїе кои стою при соудїахь. щw соуде соудїе и оуписавше дадоу
глобаремь, тези глобѣ. да ѕзимаю глобарию. а що не wсоуде соудїе, и
не дадь оуписавше глобаремь. да несоу волни глобарїе ница забавити
никомь.

---

footnotes

8 крь ум. крьвь.
10 троговѣ ум. трьговѣ.
22 кизе ум. книзе.

THE BISTRITZA TRANSCRIPT

ДИМИТРИЈЕ БОГДАНОВИЋ

ПРЕВОД БИСТРИЧКОГ ПРЕПИСА

Закон благовернога цара Стефана, лета 6857, индикт 2, на празник Вазнесења Господњег, месеца маја, 21. дан.

Овај Закон постављамо од православнога сабора нашег, с преосвећеним патријархом, кир Јоаникијем, и свима архијерејима и црковницима малима и великима, и са мном, благоверним царем Стефаном, и свом властелом Царства ми, малом и великом.

Овим законима би састав:

1. О хришћанству

Најпре за хришћанство. Овим начином да се очисти хришћанство.

2.

Властела и остали људи да се не жене без благослова свог архијереја, или да их благослове они које су архијереји изабрали и поставили за духовнике.

3.

И ниједна свадба да се не учини без венчања. Ако ли се учини без благослова и питања цркве, такви да се разлуче.

4. О духовним стварима

И за духовне ствари, сваки човек да се повинује и да буде послушан своме архијереју. Ако ли се ко нађе да је сагрешио цркви, или да је преступио било шта од овога Закона, намерно или нехотично, да се повинује и покори цркви. Ако ли не послуша, и уклони се од цркве, и ако не усхтедне да изврши наређења цркве, да се тада одлучи од цркве.

DR. ĐURICA KRSTIĆ

TRANSLATION OF THE BISTRITZA TRANSCRIPT

The law of the true-believing Tsar Stephan.
In the Year 6857, Indiction 2, at the Feast
of the Ascension of our Lord, on the 21ˢᵗ Day of
the Month of May

We enact this Law by our Orthodox Synod, by His Holiness the Patriarch Kir Joanikije together with all the Archpriests and Clergy, small and great, and by me, the true-believing Tsar Stephan, and all the Lords, small and great, of this our Empire.

These Laws provide:

1. On Christianity

First, concerning Christianity. In this manner shall Christianity be purged.

2.

No lords or any other persons shall marry without the blessing of their own archpriest, or of those chosen and appointed as priests by the archpriests.

3.

And no wedding shall take place without nuptials. If any marry without the blessing and permission of the Church, such persons shall be legally separated.

4. On Spiritual Matters

And in spiritual matters, every man shall show submission and obedience to his archpriest. And if any person be found committing a sin against the Church, or transgressing against any rule of this Law wittingly or

5.

Светитељи да не проклињу хришћане за сагрешење духовно; да пошаље двапут и трипут, ка ономе да га обличи. И ако не послуша и не усхтедне да *се* исправи по заповести духовној, да се потом одлучи.

6.

И за јерес латинску: Хришћани који су се обратили у азимство да се врате опет у хришћанство. Ако ли се ко нађе да није послушао и није се вратио у хришћанство, да се казни како пише у Законику светих отаца.

7.

И да постави Црква велика протопопе по свим трговима, да врате хришћане из јереси латинске, који су се обратили у веру латинску, и да им даду заповест духовну те да се сваки врати у хришћанство.

8.

И поп латински ако се нађе да је обратио хришћанина у веру латинску, да се казни по Закону светих отаца.

9.

И ако се нађе полуверац ожењен хришћанком, да се крсти у хришћанство ако усхтедне. Ако ли се не крсти, да му се одузму жена и деца, и да им да део од куће, а он да се одагна.

10.

И који се јеретик нађе да живи међу хришћанима, да се жеже по образу и да се прогна, а ко би га крио, и тај да се жеже.

11. О духовницима

И светитељи да поставе духовнике по свим иноријама њиховим, и по градовима и по селима. И ти духовници да буду они који су од својих архијереја примили благослов на духовништво, да везују и разрешују. И да их слуша свако по закону црквеном. А они духовници који нису постављени за духовнике, да се изагнају, да их црква казни по закону.

unwittingly, such a one shall yield and submit himself to the Church. But if he disobey and evade the discipline of the Church and be not willing to follow the orders of the Church, he shall be excommunicated.

5.

The bishops shall not curse the Christians for spiritual sins; but shall send twice and thrice to reproach him who has sinned. And if he does not obey and shows himself unwilling to correct himself in accordance with the spiritual instructions, he shall then be excommunicated.

6.

And concerning the Latin heresy: Christians who have turned to the use of unleavened bread shall return to the Christian observance. If any fail to obey and do not return to Christian Orthodoxy, let him be punished as is written in the Code of the Holy Fathers.

7.

And the Great Church shall appoint head priests in all market towns to reclaim from the Latin heresy those Christians who have turned to the Latin faith, and to give them spiritual instructions, so that each one of them return to Christianity.

8.

And if a Latin priest be found to have converted a Christian to the Latin faith, let him be punished according to the Law of the Holy Fathers.

9.

And if a half-believer be found to be married to a Christian woman, let him be baptized into Christianity if he desires it. But if he refuse to be baptized, let his wife and children be taken from him, and let a part of his house be allotted to them, and let him be driven forth.

10.

And if any heretic be found to live among the Christians, let him be branded on the face and driven forth, and whoever shall harbour him, let him too be branded.

11. On Clergymen

And bishops shall appoint clergymen in all of their parishes, both in towns and in the villages. And these clergymen shall be those who have been blessed by their archpriests to become clergy, to bind and to set free. And they shall be obeyed by everyone according to the law of the Church. Whereas those clergymen who are not appointed as clergymen shall be driven away and punished by the Church according to the law.

12. О с у д у

И у духовној ствари козмици да не суде. А ко се од козмика нађе да је судио у црквеној ствари, да плати 300 перпера. Само црква да суди.

13. О е п и с к о п и м а

Ни митрополити, ни епископи, ни игумани митом да се не постављају. И ко од сада постави митом или митрополита, или епископа, или игумана, да је проклет и анатема да буде. И ако се нађе било ко да је митом постављен, да се обојица свргну са чина, и онај који је поставио и постављени.

14. О и г у м а н и м а

Игумани да се не одстрањују без црквенога разлога.

15.

За игумане по манастирима да се постављају добри људи, који ће подизати дом Божији.

16.

Игумани да живе у киновијама по закону, договарајући се са старцима.

17.

И на тисућу кућа да се храни у манастирима 50 калуђера.

18. О к а л у ђ е р и м а

И калуђери и калуђерице који се постригу па живе у својим кућама, да се изагнају и да живе по манастирима.

19.

И калуђери топици из метохије оне цркве у којој су се постригли, да не живе у тој цркви него да иду у друге манастире, да им се да храна.

20.

Калуђер који збаци расу да се држи у тамници док се не обрати опет у послушност, и да се казни.

12. On Jurisdiction

And no laymen shall judge in a clerical matter. And should any layman be found to have judged an ecclesiastical matter, let him pay 300 perpers. Only the Church shall judge.

13. On Bishops

Neither metropolitans, nor bishops, nor priors shall be appointed by bribery. And from now on whoever shall appoint a metropolitan, or bishop, or prior by bribery, let him be accursed and anathematized. And if anyone be found appointed by bribery, let them both be deposed from their rank, the one who made the appointment and the appointed one.

14. On Priors

Priors shall not be removed without an ecclesiastical reason.

15.
As priors in monasteries good men shall be appointed, who will exalt the house of God.

16.
Priors shall live in monastic communities according to the law, and shall confer with the elders.

17.
And for each thousand houses let there be fed in the monasteries 50 monks.

18. On Monks

And monks and nuns who are tonsured and live in their own homes, shall be expelled and shall live in the monasteries.

19.
And monks native of the region in the church in which they were tonsured, may not live in that church, but shall go to other monasteries, and food shall be given them.

20.
A monk who abandons his habit shall be kept in prison until he return again to obedience, and let him be punished.

44

21. О јересницима који телеса мртвих пале

и људе с врацбином ваде из гроба те их сажижу, оно село које то учини да плати вражду, а ако би поп на то дошао да му се одузме поповство.

22.

И ко прода хришћанина у иноверну веру, да се осакати и језик да му се одреже.

23. О црквеним људима

Људи властеоски који се налазе по црквеним селима и катунима, да иду сваки своме господару.

12

24.

Црквама да не буде обавезе поноса, осим када цар куда иде, онда да га носе.

25.

И ако се нађе који управитељ цркени да је примио мито, да му се распе све што има.

26.

Црквама да влада Господин цар, и патријарх, и логотет, а други нико.

27.

Све цркве што се налазе у земљи Царства ми ослободи Царство ми од свих работа, малих и великих.

28.

Цркве царске да се не потчињавају црквама великим.

29.

И по свим црквама да се хране убоги, како је прописано од ктитора. Ако их неко од митрополита, или од епископа, или од игумана не усхрани, да се одлучи од чина.

30.

И калуђери да не живе изван манастира.

31.

И од сада никаква власт да не дирне калуђера или човека црквеног; и ко наруши ово за живота и по смрти Царства ми, да није благословен. Ако је ко што коме крив, нека иште судом и правдом, по закону; ако ли га дирне без суда, или омете кога, да плати седмоструко.

21. On Heretics Who Burn the Bodies of the Dead

and take people out of graves by sorcery and burn them, any village that does this shall pay a fine, and if any priest shall come to it, let his priesthood be taken from him.

22.

And whoever shall sell a Christian into another and false faith, let him be crippled and his tongue cut out.

23. On the Church's People

And serfs who live in Church villages and summer pasture huts, let them each go to his own lord.

24.

Churches shall not be bound to supply transport, save when the Tsar himself is travelling somewhere, then the churches shall provide for the transport.

25.

And if any Church principal be found to have taken bribes, let all his property be taken away from him.

26.

Churches shall be governed by the Lord Tsar, and the Patriarch, and the Logothete, and by none other.

27.

All churches situated in the lands of my Empire, my Imperiality releases from all labour, both great and small.

28.

The imperial churches shall not be subject to the great churches.

29.

And in all churches the poor shall be fed, as is written by the church founders. Should any metropolitan, or bishop, or prior fail to feed them, he shall be deprived of his rank.

30.

And monks shall not live outside the monastery.

31.

And henceforward no authority may molest a monk or a man of the Church; and whoever shall transgress against this in the course of my

32. О п о п о в и м а

И попови баштиници да имају своју баштинску земљу, да су слободни, а осталим поповима, који немају баштине, да се даду 3 њиве по закону, и да је капа поповска слободна. Ако ли узме више, нека за те земље работа црквама по закону.

33.

Било који поп од свога господара никамо да не одлази. Ако ли га господар не буде хранио по закону, да дође к свом архијереју, и архијереј да рече ономе властелину да храни попа по закону; па ако онај господар не буде послушао, да је поп слободан ићи куда хоће. Ако ли поп буде баштиник, да га господар није властан одагнати, само да је слободан.

34. О љ у д и м а ц р к в е н и м

Људи црквени који држе црквена села и земље црквене а прогнали су меропхе црквене или Влахе, они који су разагнали људе да се свежу, и да им се узму земља и људи, и да их држи црква док не скупе људе које су разагнали.

35.

Црквени људи у сваком спору да се суде пред својим митрополитима, и пред епископима, и игуманима. И кад су обојица људи једне цркве, да се суде пред својом црквом; ако ли буду од две цркве 2 човека која се парниче, да им суде обе цркве.

36.

И што су села црквена и људи црквени, да не иду у меропшинe Царства ми, ни на сено, ни на орање, ни на виноград, нити на једну работу, ни малу ни велику. Од свих работа ослободи их Царство ми, само да работају цркви. Ко ли се нађе да је метохију истерао на меропшину, и не послуша закон царски, томе самовласнику да се распе све што има и да се казни.

lifetime or after the death of my Imperiality, he shall not be blessed. If anyone be guilty towards another, let him sue through the court and by justice, according to the law; whoever shall molest or hinder anyone without judgment, let him pay sevenfold.

32. On Priests

And priests with patrimony shall have their patrimonial estate, and be free, and those priests who have no patrimonial estate, to them shall be given 3 fields according to the law, and the priest's cap shall be free of tax. If he take more, he shall do labour for the churches for these lands according to the law.

33.

No priest shall leave his master. If his master does not feed him according to the law, let him go to his archpriest, and the archpriest shall tell that lord to feed the priest according to law; but if that master does not obey, let the priest be free to go wherever he wishes. If the priest be the owner of a patrimonial estate, the master shall not be authorized to drive him away, but he shall be free.

34. On People of the Church

People of the Church who hold Church villages and Church lands and have driven the Church serfs or Vlachs away, those who have driven the men away shall be bound, and their land and men taken from them, and let the Church keep them until they have restored the men whom they drove away.

35.

People of the Church shall be judged for every plea before their own metropolitans, and before bishops, and priors. And if both litigants are people of the same church, they shall be judged before their own church; but if the two men who litigate are of two churches, they shall be judged by both churches.

36.

And as for villages of the Church and people of the Church, let them not go into the villages of my imperial estates, neither for haymaking, nor for ploughing, nor for the vineyards, nor for any labour small or hard. My Imperiality has exempted them from all labour; let them work for the Church only. Whoever shall be found to have driven the serfs of the Church into an imperial estate, and to have disobeyed the imperial law, all property of that self-willed owner shall be taken away from him and he shall be punished.

37. И још о игуманима

И предаде Царство ми цркве игуманима, да располажу свом кућом, кобилама, и коњима, и овцама, и свим другим, да су у свему власни што је прилично, упутно и по правди, како пише хрисовул светих ктитора.

38.

И да уведу по црквама закон киновијски за калуђере и у манастирима, према томе какав је који манастир.

39.

И козмици да не буду егзарси; да их митрополити не шаљу поповима, него да митрополити шаљу по двојицу калуђера од попа до попа, да обављају духовне послове и да доходак црквени, који је од баштине, узму од попова.

40. О хрисовулима

И сви хрисовули и простагме и што их је коме издало Царство ми и што ће коме издати, и те баштине да су тврде као и претходних правоверних царева, да су власни над њима: или их дати цркви, или за душу оставити, или продати коме било.

41. О умрлој властели

Који властелин буде имао деце, или пак не буде имао деце, те умре, и по његовој смрти баштина пуста остане, где се нађе од његова рода до трећег братучеда онај да има његову баштину.

42.

И баштине све да су слободне од свих работа и данака Царства ми, осим да дају соће, и војску да војују по закону.

43.

И да није властан Господин цар, или краљ, или Госпођа царица никоме узети баштину силом, ни купити ни заменити, осим ако ко сам хоће.

44.

И властела и други људи који имају цркве баштинске у својим баштинама, да није властан Господин цар, ни патријарх ни други светитељ те цркве потчинити Великој цркви, него је баштиник властан да постави свога калуђера и да га доведе к светитељу те да га благослови светитељ у чијој буде инорији; и да управља светитељ у тој цркви духовним пословима.

37. And more on Priors

And my Imperiality has granted churches to the priors, that they may dispose of the whole house, of the mares and the horses, and sheep, and of everything else, and that they be authorized to do whatever is deemed suitable, appropriate and lawful, as is written in the chrysobull of the holy founders.

38.

And let them establish in the churches the rules for monastic communities for the monks and in the monasteries too, as may be suitable for each monastery.

39.

And laymen may not be exarchs; metropolitans shall not send them to priests, but they shall send one monk with another from priest to priest, to perform the duties of the Church and to take from the priests the Church revenue derived from the patrimonial estate.

40. On Chrysobulls

And all the chrysobulls and charters which my Imperiality hath granted and shall grant to anyone, those patrimonial estates shall be confirmed, as those of the previous Orthodox Tsars, and they shall have full authority over them: either to give them to the Church, or bequeath for the soul, or sell to anyone.

41. On Deceased Lords

If a lord have children, or if he have no children, and die, and upon his death the patrimonial estate remain vacant, wherever there be found someone of his kin up to the third cousin, that one shall have his patrimonial estate.

42.

And all patrimonial estates shall be free of all labours and tributes to my Imperiality, save to pay the corn-due, and provide soldiers to fight according to the law.

43.

Neither the Lord Tsar, nor the King, nor the Lady Tsaritsa is free to take a patrimonial estate by force from anyone, nor to buy, nor exchange, unless someone freely consent.

44.

And when lords and other persons have hereditary churches on their patrimonial estates, neither the Lord Tsar, nor the Patriarch, nor any

45.

И властелин који се нађе да је своју цркву потчинио другој цркви, да над том црквом више нема власти.

46.

И отроке што их ко има, да их има у баштину, и њихову децу у баштину вечну. Али отрок у прђију да се не даје никада.

47.

И још: отроци што их имају властела, да им буду у баштину. Само што властелин, или жена му, или син његов ослободе, то да је слободно, а друго ништа.

48. О умрлој властели

Када умре властелин, коњ добри и оружје да се даје цару, а свиту велику бисерну и златни појас да има син његов, и да му цар не узме. Ако ли нема сина, него има кћер, да је кћи власна над тим, или продати или дати слободно.

49. О увреди

Властелин који увреди и осрамоти властеличића да плати 100 перпера, а властеличић ако увреди властелина да плати 100 перпера и да се бије штаповима.

50.

И ако властелин или властеличић увреди себра, да плати 100 перпера; ако ли себар увреди властелина или властеличића, да плати 100 перпера и да се осмуди.

51. О насиљу

Ако који властелин узме властелинку на силу, да му се обе руке одсеку и нос одреже. Ако ли себар узме властелинку на силу, да се обеси; ако ли себи равну узме, да му се обе руке одсеку и нос одреже.

52.

Ако ли властелинка блуд учини са својим човеком, да им се обома руке одсеку и нос одреже.

bishop may subject those churches to the Great Church, but the hereditary owner is free to appoint his own monk and to take him for ordination to the bishop in whose diocese it is; and in that church the bishop shall administer ecclesiastical affairs.

45.

And a lord who is found to have submitted his own church to another church, shall have no more authority over that church.

46.

And slaves that anybody hath, he shall have them as his patrimonial estate, and their children as his eternal patrimony. But a slave shall never be given as a dowry.

47.

And more: the slaves owned by lords shall be in their patrimonial estate. Only the lord, or his wife, or his son may free them, and none other.

48. On Deceased Nobles

When a noble dies, his good horse and arms shall be given to the Tsar, but his great robes of pearls and golden girdle, let his son have them, and let them not be taken by the Tsar. And if he have no son, but have a daughter, let his daughter have title over them, to sell or give away freely.

49. On Insult

A lord who insults and disgraces a lesser lord shall pay 100 perpers, and a lesser lord who insult a lord, shall pay 100 perpers and be beaten with sticks.

50.

And if a lord or a lesser lord insult a commoner, let him pay 100 perpers; and if a commoner insult a lord or a lesser lord, let him pay 100 perpers and be singed.

51. On Taking by force

If any lord take a noblewoman by force, let both his hands be cut off and his nose be slit. But if a commoner take a noblewoman by force, let him be hanged; if he take his own equal, let both his hands be cut off and his nose slit.

52.

If a noblewoman commit fornication with her man, let the hands of both be cut off and their noses slit.

53.

Властела крајишници: кад која војска пређе границу и плени земљу цареву, па опет прође кроз њихову земљу, све да плате та властела кроз чију земљу прође.

54.

И ко пред сина или брата на двор, и упита га цар: „Хоћу ли му веровати?“ — и рече: „Веруј му колико мени“, ако које зло учини, да плати онај који га је предао. Ако ли тако буде служио као што служе у палати царевој, што сагреши да плати сам.

55. О невери

За неверу, за свако сагрешење, брат за брата и отац за сина, рођак за рођака, који су одвојени од онога *кривца* у својим кућама, ако нису сагрешили ти ништа да не плате; него онај који је сагрешио, његова кућа и да плати.

56.

Властелин о вечери да се не позива, већ да се позива пре ручка преко пристава, и *ако* не дође до ручка, да буде крив. И престој властелину 6 волова.

57.

Кад дође властелин с војске кући, или било који војник ако га ко позове на суд, да остане код куће 3 недеље и потом да иде на суд.

58.

Властела велика да се позивају писмом судијиним, а остали уз печат.

59. О злу

Који властелин на приселици коме из пизме какво зло учини, земље оплени или куће попали или било какво зло учини, таквоме да се та област одузме, а друга да му се не да.

60.

Који умре, а има једно село у жупи или међу жупама, што се зло учини томе селу, паљевином или било чим, том селу све ово зло да плати околина.

53.

Border lords: when any army crosses the frontier and plunders the imperial land, and returns again through their land, those border lords through whose territory they pass, shall pay all.

54.

And whoever presents his son or brother at Court, and the Tsar asks him: „Shall I trust him" — and he shall say: „Trust him as myself", if he do any evil, let him pay who hath presented him. And if he should serve as others serve in the imperial palace, he shall pay himself if he do wrong.

55. On Disloyalty

For disloyalty, for any sin, brother shall not pay for brother, father for son, kinsman for kinsman, if they dwell separately from the culprit in their own houses; they who have not sinned shall not pay anything; but that one who hath sinned, his household shall pay.

56.

A lord shall not be summoned in the evening, but shall be summoned before dinner by a clerk, and if he come not by dinner time, he is at fault. And from that lord 6 oxen shall be taken.

57.

When a lord, or any other soldier return home from the army, if someone hath summoned him to the court, let him remain at home for 3 weeks and then let him go to the court.

58.

Greater lords shall be summoned by a writ of the judge, and the others with the seal.

59. On Misdemeanour

If any lord passing do some wrong to anybody out of spite, plunder his land or burn his house or do any other misdemeanour, from such a one that holding shall be taken, and another shall not be given to him.

60.

If someone die, and own one village in a district or in several districts, for any wrong done to that village, by fire or by any other cause, the surrounding settlements shall pay for all the wrong done to that village.

61. О пронији

Пронију да није властан продати ни купити нико ко нема баштине. Од пронијарске земље да није властан ко подложити под цркву; ако ли подложи, да није пуноважно.

62. О цару

Цара свако да преноси куда год иде, град сваки до жупе, и жупа до града.

63. О ћефалијама

Ћефалије што су по градовима да узимају свој доходак законит, да им се продаје жита, и вина, и меса, за динар колико другом за два. Али то грађанин да му продаје, а други нико.

64. О сиротама

Сирота преља да је слободна исто као и поп.

65. О судском парничењу

Браћа која су заједно у једној кући, када их ко позове на дому, онај који од њих дође тај да одговара. Ако ли га нађе на двору царевом или судијином да је дошао и рекао: „Даћу старијега брата на суд", да га да̂, а не сме се присилити да одговара.

66. О отроцима и меропсима

Отроци и меропси који се налазе заједно у једном селу, свако плаћање које доспева да плаћају сви заједно, по људима, како плаћања плаћају и работу работају, тако и земљу да држе.

67. О закону

За меропхе закон по целој земљи: у недељи да работају два дана пронијару и да му дају годишње перперу цареву, и заманицом да му косе сено један дан, и виноград један дан; а ко нема винограда, а они да му работају друге работе дан. И што работа меропах то све *йронијар* да задржи и ништа друго мимо закона да му се не узме.

61. On Fiefs

No one is free to sell or buy a fief who does not own a patrimonial estate. No one is authorized to subject fief-lands to the Church; if he subject them, let it not be valid.

62. On the Tsar

Everyone shall provide transport for the Tsar wherever he goes, every town to the district, and the district to the town.

63. On Prefects

Prefects who are in the towns shall take their income according to the law, and let corn, and wine, and meat be sold to them at one dinar which is sold to others for two. But only a citizen may sell to him, and none other.

64. On Poor Women

A poor spinner woman shall be free, like a priest.

65. On Litigation at Court

Brothers who are together in one house, when summoned at their home, the one among them who comes shall answer. If he be found at the imperial court or at the judge's court to come and say: „I will submit my elder brother to the court", let him do so, and he shall not be forced to answer.

66. On Slaves and Serfs

Slaves and serfs who dwell together in one village, shall all together pay any payment which is due; according to the way men pay the payments and do the labour, so they shall hold the land, too.

67. On the Law

The law for the serfs on all the land: they shall work two days for the fief-holder and shall give him one imperial perper annually, and they shall mow his hay with all their household one day, and work his vineyard one day; and for those who own no vineyard, let them do other labour one day. And what a serf produces let all that be kept by the fief-holder, but nothing else outside the law shall be taken from the serf.

68.

И ко се нађе у једној кући одвојен хлебом и имањем, или браћа, или отац од синова, или ко други, ако буде на једном огњишту а у ономе одвојен, да работа као остали мали људи.

69.

И ко учини зло, брат, или син, или рођак, који су у једној кући све да плати господар куће, или да дâ онога који је зло учинио.

70. О збору себрову

Себрова збора да не буде. Ко ли се нађе зборник, да му се уши одрежу, а коловође да се осмуде.

71.

Сирота која није у стању да се парничи или брани, нека да заступника који ће се парничити за њу.

72. О паши

Село са селом да пасе: куда једно село туда и друго. Само забеле законите и ливаде да не пасе нико.

73.

Жупа жупи да не попасе стоком ништа. Ако ли се нађе у некој жупи једно село, било ког властелина да је, или је Царства ми, или је црквено, или властеличића, ономе селу нико да не забрани пасти; да пасе куда и жупа.

74. За попашу

Ако ко попасе жито, или виноград, или ливаду грешком, ту попашу да плати што рекну душевници који цене. Ако ли навалице попасе, да плати попашу и 6 волова.

75. За потку

Потка међу селима 50 перпера, а Власима и Арбанасима 100 перпера. И од те потке цару половина, а половина господару чије буде село.

76. О судском парничењу

О земљи и о људима црквеним, што цркве имају суд с киме, ако тај покаже милосно писмо или рече: „Милосника имам", том писму и томе милоснику никаква вредност да се не призна већ да се суди по закону црквеном и царском; али да упитају цара.

68.

And when someone be found in one house separated by bread and property, either brothers, or father from sons, or any other yet dwelling in one hearth, let him do labour like other small people.

69.

And whoever commits an evil, be it a brother, or son, or kinsman, if they dwell together in one house, all shall be paid by the master of the house, or he shall hand over him who committed the evil.

70. On the Commoners' Council

Commoners shall have no council. If anybody is found participating in council, let his ears be cut off, and let the leaders be singed.

71.

A poor person who is not able to litigate or defend himself, let him provide a representative to litigate for him.

72. On Pasture

Let village graze with village: where one village, there also the other. Only legal enclosures and meadows may not be grazed by anyone.

73.

No district may graze its cattle within another district. If in a district a village be found belonging to any lord, or to my Imperiality, or to the Church, or belonging to a lesser lord, let nobody forbid that village to graze; let it graze where the district graze.

74. For Straying

If any man's cattle trespass on corn, or a vineyard, or a meadow in error, let him pay for this straying what the valuers assess. But if he trespass intentionally, let him pay the straying and six oxen.

75. For Fighting

A fight between villages, 50 perpers, between Vlachs and Albanians, 100 perpers. And of this fine one half to the Tsar, and one half to the lord owning the village.

76. On Litigation at Court

On land and on Church people, if the churches have an action with anyone and if he produce a deed of gift or say: „I have an almoner", let

77. О међама

А за међе земље око којих се споре села међу собом, да ишту судом Светога краља *из године* када се преставио. Ако ко изнесе милост цареву и рече: „Дао ми је Господин цар како је држао мој друг пре мене", ако да милост цареву да буде тако; да држи, осим ако је црквено.

78. За међе сеоске

А за међе сеоске, да обојица парничара даду сведоке, овај половину и онај половину по закону, па куда рекну сведоци тога да буде.

79. О планинама

Планине што су по земљи Царства ми, што су планине цареве да су цару, а црквене црквама, а властеоске властели.

80. О Власима и Арбанасима

У селу где се Влах или Арбанас заустави, у томе селу да се не задржи други који за њим иде. Ако се задржи на силу, да плати потку и што је испасао.

81. О писмима милосним

Где се изнесу два писма царева за једну ипотес, за земљу, ко сада држи, до времена овог сабора, његова да буде, а милост да се не оспори.

82. О котлу

За оног ко је вадио из котла, суђења ни правдања да не буде никаквог. Ко се оправда, да судијама не даје оправдање. Руке на суду да не буде, ни опадања, ни удаве. Само да се суди по закону.

no heed be paid either to that deed or to the almoner, but the case shall be tried according to the law of the Church and to that of my Imperiality; but let the Tsar be asked.

77. On Boundaries

And if villages dispute between themselves touching land boundaries, let them sue by the law of the Sainted King from the year of his death. If anyone produce a Tsar's deed of gift and say: „The Lord Tsar gave me this, as my equal held before me", if he produce the Tsar's deed of gift, let it be accordingly; let him hold it, save if it be of the Church.

78. For Village Boundaries

As for village boundaries, let both litigants bring witnesses, this one half and the other one half, according to the law, and where the witnesses assign, so it shall be.

79. On Mountains

The mountains which are in the lands of my Imperiality, those mountains which are of the Tsar shall belong to the Tsar, and those of the Church shall belong to the Church, and those of the lords shall belong to the lords.

80. On the Vlachs and Albanians

In a village where a Vlach or an Albanian stay, another following him shall not stay in that village. If that one stay by force, let him pay a fine and for the grass he has grazed.

81. On Deeds of Gift

Where in a case about land two Tsar's deeds of gift are presented, the land shall be of the one who holds it now, up to the time of this Council, and let not the deed of gift be contested.

82. On the Ordeal

For the one who was submitted to the ordeal, there shall be no further trial nor vindication. Whoever vindicates himself shall give no justification to the judges. There shall be no surety in court, and no false accusation and imprisonment for debt. There shall only be trial according to law.

83. О бабунској речи

И ко рече бабунску реч, ако буде властелин да плати 100 перпера, ако ли буде себар да плати 12 перпера и да се бије штаповима.

84. О убиству

Ко није дошао навалице, на силу, а учини убиство, да плати 300 перпера. Ако ли буде дошао навалице, да му се обе руке одсеку. И где се догоди убиство, онај који је започео бој да је крив ако и буде убијен.

85. О јемству

Када се парниче властела, ко у чему покрене парницу, да даје јемце.

86. О позивању

Ко позове кривца пред судије па позвавши га не дође на суд него седи дома, онај који је позван ако дође о року пред судије и одстоји по закону тај да је слободан од оне кривице за коју је био позван, јер онај што га позва дома седи.

87. О залогама

Залоге где се нађу да се откупљују.

88. О парничењу

Када се двојица парниче, ако рече један од њих: „Имам пристава овде на двору царевом, или на судијином“, нека га да. Када га потражи и не нађе га онде на двору, тог часа да дође на суд и рече: „Не нађох пристава“. Ако је о ручку, да му је рок до вечери; нека га да сутрадан до ручка. Ако ли га буде послао цар или судија на работу, тога пристава, да није крив онај који га даје; да му поставе рок док онај пристав не дође, да га доведе пред судије.

89. О препознавању предмета

Ако ко препозна предмет у човека, а буде у гори, на пустом месту, да га поведе у ближње село и преда селу, и позове да га даду пред судије. Ако ли га село не да пред судије, што одреди суд да плати то село.

83. On Heretical Utterance

And whose utters a heretical word, if he be noble let him pay 100 perpers, and if he be a commoner, let him pay 12 perpers and be beaten with sticks.

84. On Homicide

Whoever commits homicide without intention and violence, let him pay 300 perpers. If a man kill intentionally, both his hands shall be cut off. And where there is homicide, the one provoking the fight shall be guilty even if he himself be killed.

85. On Surety

When lords are litigating, the one who institutes the lawsuit about something shall give surety.

86. On Summoning

Whoever summons a culprit before the judges and then does not come to court, but stays at home, if the party summoned come at the appointed time before the judges and remain according to law, he shall be free of the guilt for which he was summoned, since that one who summoned him stayed at home.

87. On Pledges

Pledges, wherever they be found, shall be redeemed.

88. On Litigating

When two are litigating, if one of them say: „I have an clerk here in the Imperial court, or in the judge's court", let him produce him. When he seeks him and finds him not there in the court, let him come forthwith to the court and declare: „I have not found the clerk". If he be at dinner time, let him be given time till supper; let him produce him the next day by dinner time. And if the Tsar or the judge have sent that clerk upon some service, the one who hath called him shall not be at fault; and a time limit shall be given him till the clerk come, to bring him before the judges.

89. On Recognizing Objects

If anyone recognize an object with another man, and it be in the forest, in the wilderness, let him take him to the nearest village and hand him

90. О провођењу човека другог властелина

Ко проводи нечијег човека у туђу земљу, да му га врати са још шесторицом.

91. О убиству

Ако убије властелин себра у граду, или у жупи, или у катуну, да плати тисућу перпера. Ако ли себар властелина убије, да му се обе руке одсеку и да плати 300 перпера.

92. О увреди

Ако ко увреди светитеља, или калуђера, или попа, да плати 100 перпера.

93. О убиству

Ко се нађе да је убио светитеља, или калуђера, или попа, тај да се убије и обеси.

94.

Ко се нађе да је убио оца, или матер, или брата, или чедо своје, тај убица да се сажеже на огњу.

95. О чупању браде

Ко се нађе да је почупао браду властелину или добром човеку, да се томе рука одсече.

96.

Ако се почупају два себра, да је мехоскубина 6 перпера.

97. О паљевини

Ко се нађе да је запалио кућу, или гумно, или сламу, или сено, из пизме коме, да се тај паликућа сажеже на огњу. Ако ли се не нађе, да то село преда паликућу. Ако ли га не преда, да плати то село што би паликућа платио.

to that village, and call upon it to deliver him before the judges. If the village do not deliver him before the judges, that village shall pay what the court determine.

90. On Enticing a Man of Another Lord

Whoso enticeth somebody's man into another's land, shall return him together with six more.

91. On Homicide

If a lord kill a commoner in a town, or in a district, or in a summer pasture hut, he shall pay one thousand perpers. But if a commoner kill a lord, both his hands shall be cut off and he shall pay 300 perpers.

92. On Insult

Whoso insulteth a bishop, or a monk, or priest, shall pay 100 perpers.

93. On Homicide

Whoso be found to have killed a bishop, or a monk, or priest, let him be killed and hanged.

94.

Whoso be found to have killed his father, or mother, or brother, or his own child, let that murderer be burnt in the fire.

95. On Plucking Beards

Whoso be found to have plucked the beard of a nobleman or of a good man, his hand shall be cut off.

96.

If two commoners pluck each other, the fine shall be 6 perpers.

97. On Arson

If anyone be found who hath set fire to a house, or to a threshing floor, or straw, or hay belonging to another man, out of malice, that incendiary shall be burnt in the fire. If he be not found, let that village hand over the incendiary. And if it hand him not, let that village pay what the incendiary would have paid.

98.

Ако ли ко запали изван села гумно или сено, да плати околина или да преда паликућу.

99. О најезди

Насиља да не буде никоме ни за какву ствар у земљи царској. Ако ли га снађе најезда или сила обесна, они коњи најезни сви да се одузму, половина цару, а половина ономе на кога су насрнули; и људи најезници да буду кажњени како пише у Закону светих отаца, у Градским гранама; да буде мучен као и намерни убица.

100. О зајемчивању

Зајемчивања да не буде никоме ни у чему. Ко би се подјемчио *за* што да плати седмоструко.

101. О суду

А што су отроци, да се суде пред својим господарима, како хоће, за своје кривице, а за царске да иду пред судије: за крв, за вражду, за крађу, за разбојништво, за скривање туђега човека.

102. О позивању

И да се пристав не упућује к жени када муж није код куће, нити да се позива жена без мужа, већ нека жена извести мужа да иде на суд. У томе муж да не буде крив док га не извести.

103. О писмима царевим

Писма царева која се доносе пред судије било за што, а обеснажује их Закон царев, што је цар било коме написао писмо, та писма чију би ништавост суд установио, она писма да узму судије и да их донесу пред цара.

104. О дворанима

Дворани властеоски, ако учини које зло неко од њих, ко буде пронијаревић да га оправда очева дружина поротом; ако ли је себар, да захвати у котао.

98.

If anyone outside a village set fire to a threshing floor or hay, let the surrounding settlements pay or hand over the incendiary.

99. On Invasion

There shall be no violence against anyone and for anything in the imperial lands. If there happen to him an invasion or unruly force, let all the horses used for invasion be taken away, one half to the Tsar, and the other half to him who was attacked; and the men committing invasion shall be punished as is written in the Law of the Holy Fathers, in the Town Branches; let him be tortured as would a deliberate murderer.

100. On Cautionary Deposit

There shall be no cautionary deposit to anyone and in anything. Whoso shall give a cautionary deposit for whatever reason, let him pay sevenfold.

101. On Trial

As to the slaves, they shall be tried before their lords, as they please, for their offenses, but for the imperial ones they shall go before the judges: for bloodshed, for fine, for theft, for brigandage, for harbouring another person's man.

102. On Summoning

And the clerk shall not call upon a wife when the husband is not at home, nor shall a wife be summoned without her husband, but the wife shall give her husband notice to go to court. In that case, the husband shall not be at fault until she give him notice.

103. On Imperial Writs

Imperial writs which are produced before the judges in any matter, and which the Tsar's Law make invalid: whatever writ the Tsar has issued to anyone, these writs which the court should find invalid, shall be taken by the judges and brought before the Tsar.

104. On Courtiers

Noblemen's courtiers, if any one of them commit some evil, if he be a son of a fief-holder let him be judged by a jury of his father's peers; if he be a commoner, let him seize from the cauldron.

105. За одбој

Ко се нађе да је одбио судијина посланика или пристава, да се оплени; све да му се узме што има.

106. О издави

И о издави овако да буде: Издава од земље приставу 3 перпере, од села 3 перпере, од млина 3 перпере, од жупе од сваког села 3 перпере, од града коњ и свите, од винограда 3 перпере, од коња перпера, од кобиле 6 динара, од говечета 4 динара, од брава 2 динара.

107. О судијама

Куда год судија иде по земљи царевој и својој области, да није властан узети оброка силом, ни било што друго осим поклона што му ко поклони од своје воље.

108.

Ко се нађе да је судију осрамотио, ако буде властелин да му се све одузме, а ако село — да се распе и оплени.

109. О сужњима

Који човек утече из сужањства, са чиме дође на двор царев, било да је царев човек, или црквени, или властеоски, са тиме да је слободан. А што је оставио у оног човека од кога је утекао, то да припадне ономе од кога је утекао.

110.

Који се сужањ држи у двору црквеном те утече у цареву палату, да је слободан. Такође и сужањ који утече на двор патријархов, да је слободан.

111. О људима властеоским

Људи који се враћају из туђе земље у земљу цареву, ко буде побегао од јемства, они јемци који су јемство преузели за таквога човека ништа да не плате.

112.

И ко је чијега човека примио из туђе земље, а он је побегао од свога господара, од суда, ако да писмо милосно царево, да се ово не поништи. Ако ли не да милосно писмо, да се врати ономе чији буде.

105. Of Refusal

Whoso is found to have refused a judge's envoy or clerk shall be deprived of his property; all he hath shall be taken from him.

106. On Tax on Taking Possession

And on tax on taking possession, let it be thus: the tax on land to the clerk, 3 perpers, on a village, 3 perpers, on a mill, 3 perpers, on a district, 3 perpers on each village, on a town, a horse and raiment, on a vineyard, 3 perpers, on a horse, one perper, on a mare, 6 dinars, on a head of cattle, 4 dinars, on a sheep 2 dinars.

107. On Judges

A judge travelling anywhere across imperial lands and in his own area, shall not be authorized to take a meal by force, nor anything else save gifts given him by someone of their free will.

108.

Whoso be found to disgrace a judge, if he be a noble let all be taken from him, and if it be a village — let it be scattered and confiscated.

109. On Prisoners

A man who escapes from imprisonment, with what he came to the imperial court, be he the Tsar's man, or of the Church, or of a lord, let him be free with that. And whatever he has left with that man from whom he hath escaped, let it belong to the one from whom he hath escaped.

110.

A prisoner kept in the Church court and who escapes to the imperial court, let him be free. Likewise, a prisoner who escapes to the Patriarch's court, let him be free.

111. On Lord's Men

Men who return from an alien country to the imperial land, if any run away from security, those warrantors who have taken over security for such a man shall pay nought.

112.

And whoever has received somebody's man from another land, and this one has fled from his lord, from court, if he produce the Tsar's letter of mercy, it shall not be annulled. But if he produce no letter of mercy, let him be given back to the one to whom he belong.

113. О нађеном

Ко што нађе у царевој земљи да не узме те да не рече: „Вратићу ако ко позна“. Те ако приграби или узме, да плати као лопов и разбојник. А што нађе у туђој земљи на војсци, да води и носи пред цара и војводе.

114.

Што је коме прешло у цареву земљу, или од града или од жупе, што је до преузимања Господина цара, док није било царево него је било другога господара, из тога времена, био човек или друго право, да се не тражи. Ако је прешло после преузимања Господина цара, то да се тражи.

115. О тргу

Трговце који иду по царевој земљи да није властан ниједан властелин, нити било који човек ометати силом или приграбити робу а новац му силом натурити. Ко се нађе да је силом растоварио или растурио, да плати 5 стотина перпера.

116.

Трговци скерлетом и потребном малом и великом робом да иду по земљи царевој, да продају и купују како им трг доноси.

117.

Цариник царев да није властан омести или задржати трговца да би му коју робу продао у бесцење. Свако слободно да пролази по свим трговима, и по вољи да се креће са својом робом. Да није властан властелин, ни мали ни велики ни било који други, задржати или спречити своје људе или друге трговце да не иду на тргове цареве, него да иде сваки слободно.

118.

Ако ли властелин задржи трговца, да плати 300 перпера. Ако ли га цариник задржи, да плати 300 перпера.

119. О хрисовулима

Градови грчки које је заузео Господин цар, што им је написао хрисовуле и простагме, што имају и држе до овога сабора — то да држе, да им је тврдо и да им се не узме ништа.

113. On Finding

Whoso find anything in the imperial land let him not take it and say: „I will return it if anyone recognize". And if he arrogates or takes, let him pay like a thief or robber. But whoever finds anything in a foreign land while in the army, let him bring it before the Tsar and the commanders.

114.

Whatever come to any man in the Tsar's lands, or out of a town or a district, which before the Tsar took it, until it did not belong to the Tsar, but belonged to some other lord, from that time there shall be no claim, whether of man or of any other right. If it come after the possession has been taken by the Lord Tsar, let it be claimed.

115. On Market

No nobleman or any other man is authorized to hinder by force merchants who travel about the Tsar's lands, nor seize merchandise and force them to take money. Whosoever shall be found unloading or dispersing by force, shall pay five hundred perpers.

116.

Merchants who trade in scarlet cloth and other necessary small and big merchandise, shall travel over the Tsar's lands, to sell and buy, however commerce may require.

117.

A customs officer of the Tsar is not authorized to hinder or to detain any merchant in order to force him to sell his merchandise at a very low price. Everyone is free to travel to all markets, and to move with his merchandise as he wishes. No lord, either small or great, nor any other, may detain or hinder his men or other merchants to go to the markets of the Tsar, but let everyone go freely.

118.

If a lord detain a merchant, let him pay 300 perpers. And if a customs officer detain him, let him pay 300 perpers.

119. On Chrysobulls

Greek towns which the Lord Tsar hath taken, whatsoever chrysobulls and charters have been granted to them by him, whatsoever they possess and hold up to the time of this Council — let them hold it, and let this be confirmed to them and nothing shall be taken from them.

120. О приселицама

Градовима да не буде приселице, него ко дође, да доходи гостионичару, било мали или велики да иде гостионичару; да му преда коња и пртљаг сав да га гостионичар сачува у целости. И када пође онај гост, да му гостионичар преда све што му буде предао гост. Ако ли му буде што пропало, све да му плати.

121.

Градска земља што је око града, што се на њој опљачка или украде, да све то плати околина.

122. О зидању града

И где се град сруши, или кула, да га оправе грађани тога града и жупа што је тога града.

123.

Господин цар кад има да жени сина или да крсти и буде му потребно градити двор и куће, да свако помогне, мали и велики.

124. О војскама

На свакој војсци војводе да имају власти колико цар. Што рекну, да се слуша. Ако ли их неко у чему не послуша, да му је осуда иста као и онима који цара не би послушали. У судским стварима на војсци, малим и великим, да им суде војводе, и нико други.

125.

Цркву ко сруши на војсци, да се убије или обеси.

126. О свађи

На војсци свађе да не буде. Ако ли се посвађају двојица, да се бију, а нико други од војника да им не помогне у тучи. Ако ли ко потече и помогне у тучи, да се казне, руке да им се одсеку.

127.

Ко купи што из туђе земље од плена, што буде запљењено по царевој земљи, да је властан купити од тога плена као да је у туђој земљи. Ако ли га ко оптужи, говорећи: „То је моје", да га оправда порота по закону, јер је купио у туђој земљи, а није му ни лопов, ни посредник, ни саучесник. Тако да га има као своје.

120. On Maintenance

Towns are not liable for maintenance, but everyone who come, shall go to the inn, either small or great shall go the the innkeeper; to hand him his horse and all his luggage for the inkeeper to keep it all. And when that guest leave, let the inkeeper hand him all that the guest hath handed him. And if anything be lost to him, let him pay it all.

121.

If there be robbery or theft on urban land around a town, let the surrounding settlements pay it all.

122. On Building a Fortress

And where a fortress or tower is toppled, let the citizens of that town rebuild it and the district which belongs to that town.

123.

When the Lord Tsar hath a son to marry or to christen and hath need to build a court and houses, let everyone help, both small and great.

124. On Armies

In every army the commanders shall have the same authority as the Tsar. What they say, let it be obeyed. If anyone disobey them in whatever, he shall be tried in the same way as those who would disobey the Tsar. In judicial matters in the army, both small and great the commanders shall judge them, and nobody else.

125.

Whoever in the army destroys a church, let him be killed or hanged.

126. On Quarrels

In the army there shall be no quarrel. If two quarrel, let them fight, and no soldier shall help them in the fight. And if anyone start to succour them in the fight, let them be punished, both their hands be cut off.

127.

Whoever buys something from booty taken on foreign soil, and is seized on the lands of the Tsar, let him be free to buy from that booty as if he were on foreign soil. If someone accuse him, saying: „That is mine", let him be absolved by the jury according to law, for he bought on foreign soil, and is not a thief, nor a go-between, nor an accomplice. So let him possess it as his own.

128. О поклисарима

Поклисар што иде из туђе земље к цару или од Господина цара к своме господину, где дође у било чије село да му се чини част, да му је свега довољно, али да обедује или вечера па нека иде даље у друга села.

129. О писању исправа

И што запише Господин цар исправу за баштину, коме запише село у баштину нека је логотету 30 перпера за хрисовул; а коме жупу, од сваког села по 30 перпера, а дијаку за писање 6 перпера.

130. О војсци

Војска која иде по земљи царевој где падне у коме селу, друга што за њом иде да не падне у истом селу.

Лета 6862, индикт седми

131.

Писмо царево да се послуша где дође, било Госпођи царици, или краљу, или властели великој и малој, и свакоме човеку. Нико да се не оглуши о оно што пише писмо царево. Ако ли буде таквог писма што га тај не може извршити или нема да да онога часа, да иде опет с писмом к цару, да извести цара.

132. О хрисовулима

Хрисовули цареви што су издати градовима царевим: што им пише да им није властан оспорити ни Господин цар нити ко други. Да су хрисовули царски тврди.

133. О лажном писању

Ако се нађе у чијем хрисовулу реч лажно преписана и нађу се речи измењене и казивање преиначено на нешто друго што није наредио Господин цар, да се ти хрисовули раздеру, а онај да више нема баштине.

134.

Меропсима у земљи царевој да није властан ниједан господар против закона ништа учинити; само што је цар записао у Законику, то да му работа и даје. Ако ли му учини што незаконито, Господин цар наређује да је сваки меропах властан парничити се са својим господарем, или са царем, или са Госпођом царицом, или са црквом, или с властелом царевом, и било с ким; да не буде властан задржати га од суда царева, него да му судије суде по правди. И ако меропах добије парницу против господара, да га ујемчи судија царев како да господар плати меропху све у року; потом да није властан тај господар никакво зло учинити меропху.

128. On Emissaries

An emissary proceeding from a foreign country to the Tsar or from the Lord Tsar to his own lord, in whatever village he come, let him be honoured, let him have enough of everything, and he shall have dinner or supper and proceed further to other villages.

129. On Writing Deeds

When the Lord Tsar hath written a deed for a patrimonial estate, to whom he hath granted a village in patrimonial estate, let the logothete be paid 30 perpers for the chrysobull; and to whom a district is given, for each village 30 perpers, and to the scribe for the writing, 6 perpers.

130. On the Army

If the army going through the Tsar's land lodge in a village, let not another which follows it, lodge in the same village.

In the year 6862, the Seventh of the Indiction

131.

The writ of the Tsar shall be obeyed where ever it come, be it to the Lady Tsaritsa, or to the King, or to the lords great and small, and to any man. No one shall disobey what is written in the writ of the Tsar. But if such a writ cannot be fulfilled by someone or if he is not able to give at that very moment, let him go again with the writ to the Tsar, to inform the Tsar.

132. On Chrysobulls

The chrysobulls of the Tsar which are granted to the towns of the Tsar: what is written to them may not be contested even by the Lord Tsar or by any other man. Let the chrysobulls of the Tsar be firm.

133. On False Writing

If there be found in someone's chrysobull a word falsely transcribed and words changed and meaning altered into something the Lord Tsar hath not ordered, let these chrysobulls be torn up, and such a one shall no more possess the patrimonial estate.

134.

No master is authorized to do anything contrary to the law to serfs within the Tsar's land; only what the Tsar has written in the Code, that

135. О примању туђега човека

Наредба царска: нико ничијега човека да не прими, ни цар, ни црква, ни властелин, нити било који други човек, да не приме ни-

чијега човека без писма царева. Да се казни, ма ко то био, као и издајник.

136.

Такође и тргови, и кнежеви, и по градовима, чијега човека приме, на исти начин да се казне и *овога* издаду.

137. О властели која затиру свој посед

Властели и властеличићима којима је цар дао земљу и градове: ако се ко од њих нађе да је опленио села и људе и затро мимо закона царева што га је узаконио на сабору, да му се узме посед и што буде сатро да све плати од свога и да се казни као пребеглица.

138. О разбојницима

И ако се нађе разбојник да је прошао кроз област крајишника, и оплени где год, *и* опет се врати с пленом, да плати крајишник седмоструко.

139. О бегунцима

Ако ли се нађе властелин или властеличић као бегунац и било ко други царев, те устану околна села или жупа да пљачкају његову кућу и његову стоку што буде оставио, они који то учине да се казне као издајници цареви.

140. О лоповима и разбојницима

Наредба царска: По свим земљама, и по градовима, и по жупама, и по крајиштима, разбојника и лопова да не буде ни у чијем подручју. И на овај начин да се прекрати крађа и разбојништво: У коме се селу нађе лопов или разбојник, то село да се распе, а разбојник да се обеси стрмоглавце, а лопов да се ослепи, и господар села тога да се доведе свезан к цару да плати све што је учинио лопов и разбојник од почетка, и опет да се казни као лопов и разбојник.

shall they labour and give to their masters. If he do something illegal to his serf, the Lord Tsar orders that every serf be authorized to litigate with his master, or with the Tsar, or with the Lady Tsaritsa, or with the Church, or with the lords of the Tsar, and with anybody; he shall not be authorized to withold him from the court of the Tsar, but the judges shall judge him according to justice. And if the serf win the lawsuit against his master, let the judge of the Tsar guarantee the way the master shall pay all to the serf at the appointed time; and let that master be not authorized to do any harm to the serf afterwards.

135. On Receiving a Man of Another

Imperial order: no one may receive any one's man; neither the Tsar, nor the Tsaritsa, nor the Church, nor a lord, nor any other man, may receive any one's man without a writ of the Tsar. Let him be punished, whosoever it may be, as a traitor.

136.

And also if the market-towns, and headmen, and in the towns, receive a man of another, let them be punished in the same way and give him up.

137. On Lords Bringing to Ruin their Estate

To the lords and lesser lords to whom the Tsar hath given land and towns: if any one of them be found to have plundered villages and people and ruined them, outside the Tsar's Law which he hath enacted in the Council, let his estate be taken from him and let him pay for what he has ruined from his own house and be punished as a runaway.

138. On Brigands

And if a brigand be found to cross a border area, and if he rob anywhere, and return again with his booty, let the warden of the marches pay sevenfold.

139. On Fugitives

If a lord or a lesser lord or any other man of my Empire be found as a fugitive, and the surrounding villages or a district arise to plunder his home and his cattle which he has left, those who do so shall be punished as traitors to my Empire.

140. On Thieves and Brigands

Imperial order: In all lands, and in the towns, and in districts, and in the marches, there shall be no brigands or thieves in anybody's region.

141.

Такође и кнежеви, и премићури, и управитељи, и предстојници, и челници који се нађу да селима и катунима управљају, ти сви да се казне начином горе описаним ако се нађе у њих лопов или разбојник.

142.

Ако ли су управитељи известили господаре, а господари се направили да не знају, да се ти господари казне као разбојник и лопов.

143. О судијама

Судије које је цар поставио земљи да суде, ако пишу за било што, за разбојника и лопове, или за било какву одлуку судску, па црква, или властелин, или било који човек у земљи царевој не послуша писмо судије царевог, ти сви да се осуде као непослушници цареви.

144. О лоповима и разбојницима

На овај начин да се казни лопов и разбојник обличени — а обличење је ако се што где непосредно ухвати у њих; или ако се ухвати у разбојништву, или у крађи; или их предаду жупе, или села, или господари, или властела која су над њима, како је горе написано, ти разбојници и лопови да се не помилују него да се ослепе или обесе.

145.

И ако ко потера судом разбојника и лопова, а не буде обличења, да им је оправдање железо што је одредио цар; да га узму на вратима црквеним из огња, да га поставе на свету трпезу.

146. О пороти

Наредба царска: Од сада унапред да буде порота за много и за мало. За велико дело да су 24 поротника, а за мању ствар да је 12 поротника, а за мало дело 6 поротника. И ови поротници да нису власни никога измирити, него да огласе правим или, пак, кривим. И да је свака порота у цркви, и поп у ризама да их закуне, и у пороти на што се већина закуне и кога већина огласи правим, њој да се верује.

And in this manner shall thieving and brigandage be stopped: In whatsoever village a thief or brigand be found, that village shall be scattered, and the brigand shall be hanged by his feet, and the thief shall be blinded, and the master of the village shall be brought bound to the Tsar and pay for all that the thief and the brigand hath done from the beginning, and also shall be punished as a thief and a brigand.

141.

And also prefects, and lieutenants, and bailiffs, and reeves, and headmen who are found to administer villages and summer pasture huts, all these shall be punished in the manner written above if any thief or brigand be found in them.

142.

If the bailiffs have informed the masters, and the masters pretended not to know, these masters shall be punished as a brigand and a thief is.

143. On Judges

The judges appointed by the Tsar in the land to judge, if they write of anything, of brigands and thieves, or of whatever court decision, and the Church, or a lord, or any other man in the land of the Tsar disobey the writ of the Tsar's judge, they shall all be punished as disobedient to the Tsar.

144. On Thieves and Brigands

In this manner shall a thief and a brigand taken in the act be punished — and to be taken in the act is when something is directly found on them; or if he be taken in the act of robbery, or of theft; or if they are handed over by the districts, or by the villages, or by the masters, or by the lords who are superior to them, as is written above; these brigands and thieves shall not be pardoned but blinded or hanged.

145.

And if anyone sue a brigand and a thief in the court, and he be not taken in the act, then they shall justify themselves by undergoing ordeal by iron as decreed by the Tsar; they shall take it at the door of the church from the fire, and place it upon the Holy Table.

146. On Jury

The imperial order: From now henceforward let there be a jury for great matters and small ones. For a great matter, let there be 24 jurors, and for a lesser matter 12 jurors, and for a small matter 6 jurors. And these jurors shall not be authorized to make peace between the parties, but to

147.

Као што је био закон у деда царевог, у Светог краља, да су великој властели велика властела поротници, а средњим људима према њима дружина, а себрдији њихова дружина да су поротници. И да у пороти не буде сродника ни пизматара.

148. З а к о н

Иноверцима и трговцима поротници половина хришћани, а половина из њихове дружине, по закону Светога краља.

149. З а к о н

Који се поротници закуну и огласе правим кога по закону, ако се после тог оправдања нађе истинити доказ кривице у онога оправданога кога су огласили правим, да узме цар од тих поротника вражду по тисућу перпера, а потом да се тим поротницима више не верује.

И ако се изнађе да су знајући криво оправдали, или дали, или неко мито узели, кад плате оно што је напред речено да се заточе у другом крају непознатом.

150. О п р и с е л и ц а м а

Од сада и унапред приселице да не буде ни пратње никакве, него ако се задеси велики властелин стегоноша у жупи, или мањи властелин, који држе засебно свој посед и немају никакве заједнице међу собом и међу својим поседом, они да плаћају.

151.

На земљи царевој, то јест на меропшинама, да не узимају властела приселице ни какву другу плату него да плаћају од свога.

152.

Где се налазе жупе мешовите, са селима црквеним, и царевим, и властеоским, и буду мешовита села, и не буде над том жупом једнога господара, већ ако буду ћефалије и судије цареве које је поставио цар, да поставе страже по свим путовима и ћефалијама да предаду путове да их чувају са стражама; па ако кога нападну разбојници или му се што украде или се какво зло учини, тог часа да иду ћефалијама, да им плате од свога, а ћефалије да ишту од стража, и разбојника и лопова.

acquit or else convict. And let every jury be in a church, and the priest in robes shall swear them, and whatever the majority of the jury swear to and whoever they acquit, that shall be believed.

147.

As was the law under the grandfather of the Tsar, under the Sainted King, so let great lords be jurors for great lords, and for middle persons their own peers, while for commoners their peers. And on a jury let there be neither kinsmen nor enemies.

148. T h e   L a w

For heterodox persons and merchants, jurors shall be made half of Christians, and half of their peers, according to the law of the Sainted King.

149. T h e   L a w

When jurors acquit some one on oath according to the law, and after the acquittal, guilt be proved genuinely against the one whom they have acquitted, let the Tsar exact from those jurors a fine of one thousand perpers each, and afterwards those jurors shall not be believed. And if they be found to have knowingly wrongfully acquitted, or given up, or taken any bribe, after having paid as aforesaid, they shall be confined in another unfamiliar region.

150. O n   M a i n t e n a n c e s

From now on and henceforward there shall be no maintenance or escort, but when a great lord standard-bearer come into a district, or a lesser lord, who holds his fief separately and they have no community between them and between their fiefs, they shall pay.

151.

In the lands of the Tsar, that is in the villages with serfs, lords shall take no maintenance or any other pay, but they shall pay from their own means.

152.

Where there be mixed districts, with villages of the Church, and of the Tsar, and of the lords, and the villages be mixed, and there be not one master over that district, but if there be prefects and judges of the Tsar whom the Tsar hath appointed, let them post guards on all roads and let them hand over the roads to the prefects to protect them with the guards; and if anyone be attacked by brigands or suffer some theft or any other evil, let them go forthwith to the prefects, who shall pay from their

153. О с т р а ж а м а

Ако је брдо пусто међу жупама, околна села која су око тог брда да чувају стражу. Ако ли не ушчувају стражу, што се учини на томе брду, на пустом месту, штета, или разбојништво, или крађа, или које зло, да плаћају околна села којима је речено да чувају пут.

154. О т р г о в ц и м а

Трговце који пролазе ноћу на преноћиште где дођу, ако их не пусти управитељ или господар тога села да преноће у селу трговци, по закону цареву, како је у Законику, ако што изгуби путник све да плати онај господар, и управитељ, и село, јер их нису у село пустили.

155. О г о с т и м а и о р а з б о ј н и ц и м а

Ако се где догоди било коме госту или трговцу или калуђеру, те му узме што разбојник или лопов, или било каква сметња, да сви ти иду к цару, да им плати цар што буду изгубили. А цар да иште од ћефалија и властеле којима буде пут био предан и страже предане.

И сваки гост, и трговац, и Латин, да се обрати првој стражи са свим што има и носи, да га спроведу; и стража стражи да га предаје са свиме. Ако ли се згоди те што изгубе, да су им порота веродостојни људи: што по души рекну да су изгубили, то да плате ћефалије и страже

156. О п а р н и ч е њ у с у д с к о м

Који се парничари суде на суду, један који је покренуо парницу за своју ствар, и други, туженик, који се брани од тужбе, да туженик не буде властан поторно теретити свог противника некаквом другом тужбом, нити за неверу, нити за другу ствар, већ само да му одговара . А када се сврши спор, ако што има, нека после тога говори с њим пред судијама царевим; али да му се не верује ни у чему што говори док се парница не сврши.

157.

Пристави без писма судијина, или без писма царева, никамо да не иду, него куд год их шаљу судије, да им дају писмо, и да не предузима пристав што друго осим што пише у писму. А судије да држе такође писма каква су дали приставима које су послали да врше послове по земљи, па ако пристави буду осумњичени да су учинили што друго него што пише писмо, или ако буду преиначили писма,

own means, and the prefects shall seek from the guards, and from the brigands and the thieves.

153. On Guards

If there be an unpopulated hill between districts, the surrounding villages which are around that hill shall stand guard. If they fail to stand guard, whatever happens on that hill, in a deserted place, by way of damage, or robbery, or theft, or any other evil, let the surrounding villages pay to whom it was ordered to guard the road.

154. On Merchants

When merchants in passing by at night come for lodging for the night, if the reeve or master of that village does not allow them to spend the night in the village, according to the law of the Tsar, as it is in the Code, if the traveller lose anything, all shall be paid by that master, and reeve, and village, for not having admitted them to the village.

155. On Guests and on Brigands

If it so happen to any guest or merchant or monk and he be robbed of anything by brigand or thief, or be in any way hindered, let them all come to the Tsar, that the Tsar repay them for what they have lost. And the Tsar shall seek it from the prefects and lords to whom the road was handed over and the guards. And let every guest, and merchant, and Latin come to the first guard with all that he has and bears, to escort him; and let the guard deliver him to the next guard with all his belongings. And if it so happen that they lose anything, let them have the jury of trustworthy men: whatsoever they shall say upon their soul to have lost, that shall the prefects and guards pay them.

156. On Court Litigation

When litigants are suing in court, the one who has brought the legal action pleading his own case, and the other, the defendant, who rejects the accusation, let not the defendant be authorized to falsely charge his adversary by some other plea, or breach of faith, or for any other matter, but he shall only answer him. And when the case is finished, if he have anything to say, let him speak after that with him before the judges of the Tsar; but he shall not be believed in anything he is saying until the case is finished.

157.

Clerks may go nowhere without a writ of the judge, or without a writ of the Tsar; but wheresoever the judges send them, they shall give

да им то служи за оправдање: да иду пред судије, и ако су поступили онако како пише у судијином писму које судије држе, да су прави; ако ли се нађе да су преиначили судску одлуку, да им се руке одсеку или језик одреже.

158.

Сваки судија што суди да исписује пресуде и држи код себе, а другу пресуду, написавши је, да да ономе који се буде оправдао на суду.

159.

Судије да шаљу приставе добре, праве и веродостојне.

160. О потворницима

Ако се нађе било који потворник, да гони кога потвором, и лажи, и обманом, такав да се казни као лопов и разбојник.

161. О пијаницама

Пијаница кад однекуд дође и нападне кога, или посече, или окрвави, а не до смрти, таквоме пијаници да се око извади и рука одсече. Ако ли пијан насрне, или капу коме скине, или другу срамоту учини, а не окрвави, да га бију: сто штапова, то јест 100 пута да се удари штаповима и да се вргне у тамницу, и потом да се изведе из тамнице и да се опет бије и пусти.

162. О судији, о парничарима

Кад парничари изађу на суд царев, коју реч изговоре у први мах, тим речима да се верује и по тим речима да се суди, а по потоњим ништа.

163. О златарима

Златара у жупама и у земљи царевој нигде да не буде, осим у трговима где је одредио цар да се новац кује.

them a writ, and the clerk shall undertake nothing save what is written in the writ. And the judges shall also keep copies of the writs that they have given to the clerk whom they have sent on business through the land, and if the clerk be suspected to have done something other than the writ prescribes, or if they have altered the writ, let this serve for their exculpation: they shall go before the judges, and if they have acted as is written in the writ of the judge which the judges keep, they shall be justified; but if it be found that they have altered the decision of the court, let both their hands be cut off or their tongue slit.

158.

Every judge who administers justice shall write his judgments and keep them with him, and the second copy, after having been written by him, shall be given to him who has justified himself in the court.

159.

The judges shall send good, honest and trustworthy clerks.

160. On Impostors

If any impostor be found to pursue someone by using deceit, and lying, and fraud, such a one shall be punished as a thief and a brigand.

161. On Drunkards

When a drunkard come from anywhere and attack anyone, or cut, or make someone bleed, yet not to death, to that drunkard one eye shall be removed and one hand cut off. But if a drunken man attack somebody or pull off his cap, or inflict some other shame, but do not make him bleed, he shall be beaten: one hundred strokes, that is, 100 times to be struck, and cast into prison, and afterwards be taken from prison and beaten again and released.

162. On Judges, on Litigants

When litigants come before the Tsar's court, those words which they first utter, shall be believed and according to those words judgment shall be given, and according to the subsequent ones, nothing.

163. On Goldsmiths

Goldsmiths may nowhere dwell in the districts and in the lands of the Tsar, save in the market-towns where the Tsar hath determined that money may be minted.

164.

И у градовима царевим да пребивају златари, и да кују друге потребне предмете.

165.

И ако се нађе златар у граду да кује новац тајно, да се златар сажеже, а град да плати глобу што рече цар.

166.

Ако ли се нађе у селу, да се село распе, а златар да се сажеже.

167. О правди

Наредба царска: Ако цар напише писмо или из срџбе, или из љубави, или из милости за некога, а то писмо нарушава Законик и није по правди и по закону, како пише Закон, судије том писму да не верују, само да суде и врше по правди.

168.

Све судије да суде по закону, право, како пише у Законику, а да не суде по страху од цара.

169. О пратиоцима

Властела и властеличићи који иду у двор царев, било Грк, или Немац, или Србин, или било који други властелин, ако доведе са собом разбојника или лопова, да се онај господар казни као лопов и разбојник.

170. О баштинама

Људи ратари који имају своју баштинску земљу, и винограде, и купљенице, да су власни од својих винограда и од земље у прћију

дати, или цркви подложити, или продати, али увек на томе месту да буде работника ономе господару чије буде село. Ако ли не буде работника на оном месту, да је слободан узети оне винограде и њиве.

171. О судијама

Судија који је у двору цареву, кад се учини које зло он нека и пресуди. Ако се парничари задесе случајно на двору царевом, да им пресуди судија дворски, а нико да се не позива на двор царев мимо надлежности судија које је поставио цар, него сваки да иде пред свога судију.

164.

And let the goldsmiths abide in the towns of the Tsar, and let them make other necessary objects.

165.

And if a goldsmith be found in a town who coins money secretly, the goldsmith shall be branded, and the town shall pay such fine as the Tsar declares.

166.

And if a goldsmith be found in a village, the village shall be scattered, and the goldsmith branded.

167. On Justice

Imperial order: If the Tsar write a writ either from anger or from love, or by grace for someone, and that writ transgress the Code, and be not according to justice and the law, as written in the Law, the judges shall not believe that writ, but shall only judge and act according to justice.

168.

All judges shall judge according to the law, rightly, as is written in the Code, and shall not judge out of fear of the Tsar.

169. On Escorts

Lords and lesser lords who go to the court of the Tsar, be it a Greek, or German, or Serb, or any other lord, if he bring with him a brigand or a thief, that master shall be punished as a thief and brigand.

170. On Patrimonial Estates

Ploughmen who have their own patrimonial land, and vineyards, and purchased lands, are free to give as dowry, or to bequeath to the Church, or sell, from their own vineyards and from land, but there shall always be labourers in that place for that master whose village it is. If there be no labourers in that place, he is free to take those vineyards and fields.

171. On Judges

The judge who is in the court of the Tsar, when any evil occur, let him pass judgment. If the litigants happen to be in the court of the Tsar, let the court judge pass judgment on them, and no one shall be summoned to the court of the Tsar outside the competence of the judges appointed by the Tsar, but let every one go before his own judge.

172. О закону

Сви градови по земљи царевој да су на закону како су били у пређашњих царева. За спорове што имају међу собом, да се суде пред управитељима градским и пред црквеним клиром. Ако који жупљанин тужи грађанина, да га тужи пред управитељем градским и пред клиром црквеним по закону.

173. О дворском суду

Који властелин буде стално у кући царевој, ако их ко тужи пред судијом дворским, а нико други да им не суди.

174.

Судије куда шаљу приставе и писма, ако ко не послуша и одбије пристава, да пишу судије писма ћефалијама и властели у чијој буду области они непослушници да о томе изврше налоге што пишу судије. Ако ли не изврше налоге, да се казне као непослушници.

175.

Судије да иду по земљи куда је коме област, да надзиравају и да чине правду убогим и ништим.

176. О препознавању предмета

И ако ко што ухвати опљачкано, или украдено, или силом узето, и то саму ту ствар, сваки о томе да да свод. Ако ко буде купио где било, или у земљи царевој или у другој земљи, увек да да о томе свод. Ако ли не да свода, да плаћа по закону.

177.

Наредба царска судијама: Ако се појави велико дело и не узмогну расправити и пресудити, било који велики суд да буде, један

од судија да иде са оба она парничара пред цара. И што хоће судије коме да суде, сваку пресуду да уписују, како не би било некоје потворе, да се поступа по Закону цареву.

178.

Ко је у области одређених судија, да ниједан човек није властан позивати на двор царев или куда друго, него сваки да иде пред свога судију у чијој буде области да се расправи по закону.

172. On the Law

All towns which are in the lands of the Tsar shall be under the law as they were in the times of previous tsars. For disputes which they have between themselves, let them be tried before the prefects of the towns and before the clergy. If a man from a district sue a citizen, let him sue before the prefect of the town and before the clergy according to the law.

173. On the Palace Court

Lords who permanently dwell in the house of the Tsar, if they are sued before the judge of the palace, then no one else shall try them.

174.

Judges who send their clerks and writs somewhere, if any man disobey and repel the clerks, the judges shall send writs to the prefects and to the lords in whose province the disobedient ones are, that they execute the writs written by the judges. And if these do not execute the writs, let them be punished as disobedient ones.

175.

Let the judges go through the land within their jurisdiction to supervise and do justice to the poor and the needy.

176. On Recognizing Objects

And if anyone find something robbed, or stolen, or taken by force, and that very thing, let each party in the case give evidence. If anyone buy anywhere, either in the lands of my Empire or in another land, let him always give evidence of that. If he produce no evidence, let him pay according to the law.

177.

Imperial order to the judges: If there be a weighty case and they cannot decide it and pass judgment, however great the court may be, let one of the judges go with both litigants before the Tsar. And whatever the judges shall wish to try, let them write down each judgment, that there be no mistake, that it be proceeded according to the Law of the Tsar.

178.

Let no man who is within the jurisdiction of appointed judges, be authorized to take his case to the court of the Tsar or anywhere else, but every one shall go before his own judge in whose jurisdiction he is, so that the matter may be tried according to the law.

179.

Станици цареви да иду пред судије када се споре међу собом: за вражду, за разбојништво, за крађу, за скривање туђих људи, за крв, за земљу.

180.

Властела и ћефалије цареве који држе градове и тргове, нико од њих да не прими ничијега човека у тамницу без писма царева. Ако ли га ко прими мимо заповест цареву, да плати 5 стотина перпера.

181.

На исти начин, ко држи тамнице цареве да никога не прими, ничијега човека, без наредбе цареве.

182.

Куда цар и царица, или станови, или коњи цареви, у ком селу преноће, после тога ниједан станик да не преноћи у томе селу. Ако ли се ко нађе и преноћи у томе селу, против закона и наредбе цареве, онај који је старешина станова да се преда везан оном селу; што буде сатрвено, све да плати седмоструко.

183. О коњима и псима

Куда иду коњи и пси и станови цареви, што им се пише у писму цареву, да им се то изда, а друго ништа.

184. О глобарима

Глобари који се налазе при судијама, што суде судије и уписавши даду глобарима, те глобе да узму глобари, а што не пресуде судије и уписавши не даду глобарима, да нису власни глобари никоме ништа задржати.

179.

The shepherds of the Tsar shall go before the judges when they have disputes among themselves: for fines, for brigandage, for theft, for harbouring alien people, for murder, for land.

180.

Lords and prefects of the Tsar who hold the towns and market-towns, none of them may imprison a man without a writ of the Tsar. If any such do receive him without the command of the Tsar, let him pay five hundred perpers.

181.

In the same way, he who holds the prisons of the Tsar shall receive no one, nobody's man, without a writ of the Tsar.

182.

Wheresoever the Tsar and Tsaritsa travel, with their train and equipment, or horses of the Tsar, in whatsoever village they spend the night, in that village afterwards no officer of the train may spend the night. If there be one to spend the night in that village, contrary to the law and the order of the Tsar, the one who is the head of the train and equipment shall be delivered bound to that village; for that which is wrecked, he shall pay sevenfold.

183. On Horses and Dogs

Wheresoever the horses, and dogs, and train and equipment of the Tsar go, whatever is written in the Tsar's letter, shall be given to them, and nothing else.

184. On Collectors of Fines

The Collectors of fines who are with the judges, whatsoever fines the judges shall impose and after registering them deliver to the collectors of fines, such fines shall the collectors of fines take, and what the judges do not impose and after registering them do not give to the collectors of fines, they are not authorized to exact from any man.

TABLE OF CONTEX

DUSHAN'S CODE

Izdavač
Trajna radna zajednica književnika i književnih prevodilaca VAJAT,
BEOGRAD, Prote Mateje 50.
Za izdavača: Uglješa Krstić.
U saradnji sa
PROSVETA AGENCIJA ZA IZVOZ-UVOZ, BEOGRAD,
Terazije 16/I

Urednik

Ivan Ninić

Štampa: FORUM, Novi Sad, Vojvode Mišića 1

Tiraž 1.500 primeraka
1989